CYANURE

DU MÊME AUTEUR

La Princesse des glaces, Actes Sud, 2008 ; Babel noir n° 61.
Le Prédicateur, Actes Sud, 2009.
Le Tailleur de pierre, Actes Sud, 2009.
L'Oiseau de mauvais augure, Actes Sud, 2010.
L'Enfant allemand, Actes Sud, 2011.
Cyanure, Actes Sud, 2011.
Super-Charlie, Actes Sud Junior, 2012.
A table avec Camilla Läckberg, Actes Sud, 2012.
La Sirène, Actes Sud, 2012.

Titre original :
Snöstorm och mandeldoft
Editeur original :
Månpocket, Stockholm

ISBN 978-2-330-01344-8

CAMILLA LÄCKBERG

CYANURE

roman traduit du suédois
par Lena Grumbach

BABEL NOIR

Ça sentait de nouveau la neige. Noël était dans moins d'une semaine et le mois de décembre avait déjà apporté son lot de froid et de flocons. Pendant plusieurs semaines, une glace épaisse avait recouvert la mer, mais le redoux de ces derniers jours l'avait rendue fragile et traîtresse.

Martin Molin se tenait à l'avant du bateau qui faisait cap sur Valö dans le chenal ouvert dans la glace par la vedette de sauvetage en mer. Il se demandait s'il avait pris la bonne décision. Lisette avait tellement insisté pour qu'il vienne. Elle l'avait supplié même. Les réunions de famille n'étaient pas son fort, avait-elle dit, et celle-ci se passerait beaucoup mieux s'il était là. Seulement, une rencontre avec sa famille sous-entendait que leur relation était sérieuse, et il ne voyait pas du tout les choses ainsi.

Mais maintenant c'était fait. Il le lui avait promis et il était là, en route pour l'île de Valö et l'ancienne colonie de vacances transformée en maison d'hôte, où il passerait deux jours avec la famille de Lisette.

Il se retourna. Fjällbacka était magnifique, surtout en hiver, lorsque ses petites maisons rouges étaient enfouies dans toute cette blancheur. La haute montagne grise qui ceinturait la petite ville lui apportait aussi une intensité dramatique et une esthétique incomparables. Il devrait peut-être abandonner Tanumshede pour venir vivre ici, se dit-il en riant de cette idée folle. Le jour où il aurait gagné au loto, peut-être.

— Vous me lancez le bout ? cria l'homme sur l'appontement. Martin émergea de ses rêveries.

Il se pencha et prit la corde enroulée à l'avant du bateau. Lorsqu'ils furent suffisamment près du ponton, il la jeta à l'homme qui l'attrapa habilement et amarra l'embarcation.

— Vous êtes le dernier. Tous les autres sont déjà là.

Martin descendit prudemment la petite passerelle glissante et prit la main qu'il lui tendait.

— Je devais terminer quelques dossiers au commissariat avant de partir.

— Oui, j'ai appris qu'on allait avoir un représentant des forces de l'ordre pour le week-end. Je me sens tout de suite plus rassuré, dit l'homme avec un gros rire avant de se présenter : je suis Börje. Avec ma femme, on a repris l'endroit, et du coup, je suis l'homme à tout faire ici : menuisier, cuisinier, majordome. Eh oui, mieux vaut avoir plusieurs cordes à son arc.

Il partit encore une fois d'un rire jovial.

Martin attrapa son sac et suivit Börje en direction des lumières qui scintillaient entre les arbres.

— D'après ce qu'on m'a dit, vous avez fait des miracles avec ce vieux bâtiment, dit-il.

— Ça a été pas mal de boulot, répondit fièrement Börje. Et d'argent. Il faut le reconnaître. Mais on est arrivés au bout de nos peines maintenant. C'était plein cet été, et ma dulcinée et moi, on a eu des gens jusque tard en automne. Notre offre de Noël remporte un franc succès, on ne s'y attendait pas.

— J'imagine que les gens ont envie d'échapper à l'hystérie des fêtes, dit Martin.

Il s'efforça de ne pas trop souffler en montant le raidillon vers la maison. Il eut un peu honte. Sa condition physique était lamentable. Compte tenu de son âge et de son métier, il aurait dû être en meilleure forme.

En levant un instant les yeux du sentier, il fut saisi d'émerveillement. Ils avaient réellement fait des miracles avec le vieux bâtiment. Comme la plupart de ceux qui avaient grandi dans la région, Martin était venu à Valö avec l'école ou pour des camps de vacances, et il se rappelait une maison verte, certes jolie, mais assez délabrée et entourée d'une immense pelouse. Aujourd'hui, de la peinture blanche était venue recouvrir l'ancienne, et la maison rénovée de fond en comble était un vrai bijou. Une lumière chaude semblait ruisseler des fenêtres et mettait en valeur la façade claire. Devant l'escalier, on avait allumé des bougies d'extérieur et par une fenêtre du rez-de-chaussée, il aperçut un grand sapin de Noël. C'était un décor féerique et il marqua une halte pour l'admirer.

— Joli, n'est-ce pas ? dit Börje qui s'arrêta également.

— C'est incroyable, répondit Martin, époustouflé.

Ils arrivèrent à la maison, entrèrent dans le vestibule et tapèrent des pieds sur le sol pour ôter la neige de leurs chaussures.

— Voilà le dernier arrivé ! cria Börje, et Martin entendit des pas rapides s'approcher.

— Martin ! Comme je suis contente de te voir !

Lisette se jeta à son cou et Martin eut de nouveau le sentiment qu'il n'aurait pas dû venir. Lisette avait beau être mignonne et sympathique, il commençait à se dire qu'elle prenait leur relation trop au sérieux. Il était cependant trop tard pour faire marche arrière. Il fallait seulement essayer de survivre à ce week-end.

— Viens !

Elle le prit par la main et l'entraîna plus ou moins de force vers la grande salle à gauche du vestibule. Dans les souvenirs de Martin, il s'agissait d'un dortoir encombré de lits superposés. A présent, une main au goût sûr l'avait transformée en une salle de séjour et une bibliothèque. Un énorme sapin de Noël décoré dans les règles de l'art trônait au centre de la pièce.

— Le voici ! claironna triomphalement Lisette.

Tous les regards se tournèrent vers lui. Il réprima l'envie de rajuster le col de sa chemise et se contenta de faire un petit geste ridicule de la main. Lisette lui fit comprendre par un petit coup de coude que l'on s'attendait probablement à plus de sa part, et il entreprit d'aller saluer chacun des invités. Lisette l'accompagna et se chargea des présentations.

— Mon père, Harald.

Un homme grand avec les cheveux en bataille et une moustache tout aussi fournie se leva et secoua frénétiquement la main de Martin.

— Et voici Britten, ma mère.

— Mon vrai nom est Britt-Marie, mais personne ne m'a jamais appelée autrement que Britten depuis mes cinq ans.

La mère de Lisette se leva également, et Martin fut frappé par la ressemblance entre la mère et la fille. Elles avaient la même silhouette menue, les mêmes yeux noisette et les mêmes cheveux châtains bien que ceux de Britten soient parsemés de quelques cheveux blancs.

— Je suis contente de pouvoir enfin vous rencontrer, lui dit-elle.

Martin murmura quelque chose du même ordre en guise de réponse et espéra que son manque de sincérité ne soit pas trop manifeste.

— Mon oncle Gustav, reprit Lisette.

De toute évidence, l'homme, qui ressemblait à une version plus petite et décharnée de son père, ne faisait pas partie de ses préférés.

— Enchanté, enchanté, dit Gustav avec un air quelque peu empesé en s'inclinant légèrement.

Martin se demanda s'il devait s'incliner à son tour, mais décida qu'un petit signe de la tête ferait l'affaire. Ensuite vint le tour de la femme de Gustav qui, à en juger par le ton qu'employait Lisette, ne lui inspirait pas non plus un enthousiasme débordant.

— Ma tante Vivi.

Martin sentit une main sèche et ratatinée serrer la sienne. Celle-ci contrastait fortement avec un visage si dépourvu de rides que sa peau paraissait tendue comme un tambour. Il était persuadé que s'il jetait un coup d'œil derrière ses oreilles, il découvrirait les cicatrices d'un certain nombre d'interventions chirurgicales. Heureusement, il réussit à s'en abstenir.

— Mon cousin Bernard, continua Lisette d'une voix chaleureuse.

Il y avait apparemment plus d'amour entre Lisette et l'homme assis à côté de tante Vivi. Martin éprouva une aversion instinctive pour cet élégant trentenaire. Il arborait une coiffure qui, pour une raison incompréhensible, était prisée dans les milieux de la finance : cheveux gominés et plaqués en arrière.

— Tiens, voilà donc le policier de Lisette…

Il parlait avec l'accent snob de Stockholm, et même si l'énoncé était correct et parfaitement innocent, Martin perçut autre chose derrière son ton désinvolte. Quelque chose de condescendant qu'il eut du mal à définir.

— En effet, c'est ça, répondit-il sèchement en dirigeant son attention sur la jeune femme qui se tenait près de Bernard.

— La sœur de Bernard, Miranda, annonça Lisette.

Martin ne put s'empêcher de tressaillir lorsqu'il prit la main tendue de la cousine de Lisette. Miranda était belle à couper le souffle. Elle avait environ vingt-cinq ans, les mêmes cheveux aile de corbeau que son frère, mais plus longs, et des yeux d'un bleu intense qu'elle posa sur lui. Martin sentit qu'il perdait contenance. Un petit toussotement de Lisette lui fit comprendre qu'il avait probablement gardé la main de sa cousine un peu trop longtemps dans la sienne, et il la lâcha comme s'il s'était brûlé.

— Mon frère, Mattias. Mais tout le monde l'appelle Matte.

La voix de Lisette était devenue glaciale, et Martin se tourna avec hâte vers son frère aîné. Matte avait un visage sympathique et il secoua la main de Martin avec beaucoup d'entrain.

— J'ai presque l'impression de te connaître ! Lisette ne fait que parler de toi depuis cet été. Je suis vraiment, vraiment content de te rencontrer !

Lisette marqua une pause théâtrale avant de dire :

— Et enfin, le plus important – mon grand-père Ruben.

Un homme âgé en fauteuil roulant se tenait devant lui. Ruben avait donné ses traits à ses deux fils, mais lui-même semblait s'être rabougri. Il n'était pas plus grand qu'un enfant. Il était installé dans son fauteuil avec une couverture à carreaux sur les genoux. Malgré cela, sa poignée de main était ferme et son regard vif.

— Aaahhh, voilà donc notre jeune homme, dit-il avec une expression amusée, et face à lui, Martin se sentit comme un écolier.

Le vieil homme avait quelque chose d'extrêmement impressionnant. Martin connaissait bien son histoire. Il était né pauvre comme Job et, à partir de rien, il avait bâti un empire qui brassait aujourd'hui des milliards dans le monde entier. Son conte de fées était connu de la plupart des Suédois.

— Le repas est servi !

Tout le monde regarda en direction de la voix claire qui se fit entendre depuis l'embrasure de la porte. Une femme avec un tablier blanc à l'ancienne indiquait la salle à manger. Martin supposa qu'il s'agissait de la femme de Börje.

— Eh bien, ça tombe bien, parce que j'ai une de ces faims, dit Harald qui fut le premier à se rendre dans la salle à manger.

Avant qu'un petit groupe ne se forme à sa suite, Martin fut témoin d'une scène cocasse. Plusieurs membres de la famille Liljecrona se précipitèrent vers le fauteuil roulant de Ruben en rivalisant de vitesse pour l'atteindre le premier. Lisette, qui était le plus près, sortit gagnante de l'épreuve et jeta un regard triomphant sur tante Vivi. Il se déroulait manifestement ici des choses auxquelles Martin n'avait pas été initié. Intérieurement, il soupira une fois de plus. Le week-end s'annonçait très, très long.

Lisette sentit les regards dans son dos tandis qu'elle poussait le fauteuil de son grand-père vers la salle à manger. L'émotion de la victoire empourpra ses joues et elle espéra que ce succès préfigurait le vainqueur de la grande bataille. Celle pour l'argent de son grand-père. L'idée qu'une telle somme puisse un jour lui appartenir la faisait rêver. Il ne s'agissait pas de millions, mais de milliards. Tout ce qu'il y avait à faire était de rester en bons termes avec le vieux et croiser les doigts pour que les autres se disqualifient à tour de rôle. Et ce n'était pas si utopique. Elle savait avec certitude que son père et son oncle étaient en train de brûler leurs vaisseaux ; ils ne représenteraient pas un grand obstacle sur son chemin. Ni Bernard et Miranda d'ailleurs. Non, son principal concurrent à la course à l'héritage était Matte. Pour le moment, il fallait admettre qu'il était bien mieux placé qu'elle auprès du grand-père. Mais elle était certaine que c'était temporaire. Matte finirait forcément par montrer une faiblesse dont elle pourrait tirer parti, il suffisait de s'armer de patience.

— Oh pardon !

Elle avait heurté la jambe de Martin avec le fauteuil roulant, et elle s'arrêta pour le laisser passer. Elle se demanda un instant si elle avait eu raison de lui demander de venir. Elle voulait montrer à grand-père qu'elle était désormais une adulte, qu'elle avait mûri, et un petit ami policier venait avantageusement compléter le tableau. Même si elle aurait préféré qu'il se montre moins empoté. Un seul regard sur Bernard lors des présentations lui avait suffi pour comprendre ce qu'il pensait de Martin, et elle se demanda si tous partageaient son avis. Martin était certes sympathique et charmant, mais de toute évidence il manquait de savoir-vivre. Elle l'avait fait venir, tant pis pour elle. Maintenant, il ne lui restait qu'à essayer de passer ce week-end au mieux.

La vue de tous les mets du buffet installé le long du mur était impressionnante. La table croulait littéralement sous les spécialités : du jambon, du fromage de tête, des harengs sous toutes les formes, des boulettes de viande, des saucisses cocktail et bien d'autres plats encore. Il y avait tout ce que doit comporter un buffet de Noël qui se respecte, et l'estomac de Martin se mit à gronder bruyamment.

— Je crois que le jeune homme a faim ! dit Harald en riant tandis qu'il lui donnait une tape dans le dos.

— C'est vrai, j'avoue que j'ai un petit creux, répondit-il avec un sourire forcé.

Il espéra que le père de Lisette ne prendrait pas l'habitude de l'appeler “le jeune homme” et de lui taper dans le dos à tout bout de champ.

Chacun avait rapidement rempli son assiette et s'était installé autour de la table joliment décorée pour l'occasion. Dehors, la faible chute de neige avait évolué en une quasi-tempête. Börje fit le tour de la table avec une bouteille d'aquavit glacé à la main. Il avait l'air soucieux.

— Ça ne me dit rien qui vaille. D'après la météo, on va avoir un sale temps. J'espère qu'on n'aura pas besoin de rejoindre le continent, parce que ça pourrait s'avérer difficile.

— On ne manque de rien ici, dit Ruben de sa voix sèche de vieillard. On n'a pas prévu de partir avant dimanche, et j'ai l'impression qu'on ne va pas mourir de faim.

Tout le monde rit de son commentaire. Un peu trop fort et un peu trop cordialement. Une ride de mécontentement se forma entre ses sourcils broussailleux ; il en avait probablement plus qu'assez des courbettes. Pendant une seconde, Martin croisa son regard et il comprit que le vieil homme avait deviné ses pensées. Il baissa les yeux et s'appliqua à tremper une saucisse cocktail dans de la moutarde. Une petite entaille faite à chaque bout des petites saucisses les avait fait se recourber sur elles-mêmes. Quand il était petit, il les appelait des saucisses-bouclettes, et ses parents le lui rappelaient encore à chaque Noël.

— Alors Bernard, dit Ruben en déplaçant son attention sur son petit-fils. Comment va ta société ? Il y a certaines rumeurs qui courent à la bourse.

Il y eut un petit silence pesant avant que Bernard réponde :

— Ce sont des mauvaises langues. L'entreprise ne s'est jamais aussi bien portée.

— Ah bon, ce n'est pas ce que j'ai entendu, dit Ruben d'une voix doucereuse. Et mes sources sont… comme tu le sais… à considérer comme parfaitement fiables.

— Loin de moi l'idée de critiquer tes sources, grand-père, mais je me dis qu'elles sont peut-être un peu dépassées. Alors qu'est-ce que tu veux qu'elles sachent sur…

Vivi lança un regard acéré à Bernard qui le réduisit au silence. En baissant le ton, il poursuivit :

— Eh bien, tout ce que je peux te dire, c'est que tes sources se trompent. Nous aurons des chiffres excellents à présenter lors de notre prochain bilan.

— Et toi, Miranda ? Comment se porte ton agence de design ?

Les yeux de Ruben se posèrent sur Miranda comme des rayons X, et elle se tortilla en répondant :

— Eh bien, on a été poursuivis par la malchance. Beaucoup de commandes ont été annulées au dernier moment, et on a dû faire pas mal de boulot gratuitement pour nous procurer des clients de référence, et…

Ruben leva une main osseuse.

— Merci, merci, cela me suffit. Je vois parfaitement le topo. Autrement dit, il ne reste pas grand-chose du capital que j'ai injecté dans ton affaire ?

— Ben, tu vois grand-père, j'avais l'intention de t'en parler…

Elle enroula une mèche de ses magnifiques cheveux longs autour d'un doigt et adressa un sourire obséquieux au vieil homme. Vivi essaya de sauver la situation avec son verbiage tout en tirant nerveusement sur son collier de perles :

— Les enfants se débrouillent vraiment bien, ils travaillent dur. On ne les voit pratiquement plus passer à la maison, Gustav et moi, c'est boulot, boulot, boulot…

Martin commença à avoir du mal à avaler ses mini-saucisses. Le repas avait pris une tournure désagréable, et il chercha à croiser le regard de Lisette. Seulement, comme les autres membres de la famille, elle écoutait avidement la joute verbale et attendait la suite.

— Et toi Lisette, tu envisages de commencer à travailler bientôt ?

La bouche de Lisette se referma d'un coup lorsque son grand-père se focalisa sur elle.

— Mais… moi… je n'ai pas encore fini mes études, bégaya-t-elle et elle sembla rétrécir à vue d'œil.

— Oui, je sais que tu fais des études, dit sèchement Ruben. C'est moi qui les finance. Depuis huit ans. Je voulais seulement savoir s'il n'était pas temps de mettre toute cette connaissance en pratique ?

Son ton était toujours d'une douceur trompeuse, et Lisette avait les yeux baissés lorsqu'elle répondit :

— Si, bien sûr, grand-père.

Ruben souffla de mépris, puis il regarda finalement ses fils.

— Quelques problèmes au boulot, si j'ai bien compris.

L'œil exercé de Martin vit Harald et Gustav échanger un regard rapide. Ce fut un échange muet d'à peine une seconde, mais Martin eut le temps d'y lire à la fois de la haine et de la peur.

— Qu'est-ce que tu as compris, papa ? finit par dire Harald. Tout roule comme sur des roulettes. *Business as usual*, tu sais. Exactement comme à ton époque.

Un sourire joyeux, mais superficiel, accompagna ses propos. Ses mains, qui réduisaient fébrilement une serviette en confettis tandis qu'il parlait, trahissaient ses sentiments réels.

— Mon époque ! Tu sais très bien que "mon époque" ne remonte qu'à deux ans. A t'entendre, on pourrait croire que je tenais la barre il y a plus de cent ans. Et si je n'avais pas eu ces… – il chercha le mot – … ces problèmes de santé, je la tiendrais encore. Mais j'ai toujours mes sources dans la société. Et ce que j'ai entendu est alarmant, dit-il en les menaçant du doigt.

Après avoir jeté un coup d'œil oblique à son frère, Gustav prit la parole.

— Comme Harald vient de le dire, tout est en ordre. Je ne comprends pas ce que tu as pu entendre…

De nouveau, Ruben souffla et de la salive jaillit de sa bouche lorsqu'il s'exclama :

— Vous faites vraiment piètre figure, tous autant que vous êtes. Vous avez vécu à mes dépens toute votre vie, profité de mon argent et attendu que les cailles tombent toutes rôties ! Et j'ai commis la bêtise de vous fournir des occasions en or, j'ai sans arrêt injecté de l'argent dans vos activités, et vous – il hocha la tête en direction de ses deux fils – je vous ai laissés diriger l'entreprise après ma retraite, parce que je désirais qu'elle reste dans la famille. Mais vous m'avez trahi, tous ! Vous avez détourné, dépensé et dilapidé ce que je vous ai donné ! Et maintenant je vous le dis : ça suffit !

Ruben tapa du poing sur la table et tout le monde sursauta. L'instinct de Martin lui dictait de fuir cette situation pour le moins déplaisante. Pourtant, elle semblait provoquer le même effet que les accidents de la route. Il ne pouvait s'empêcher de regarder.

— J'ai l'intention de vous déshériter, sachez-le ! Tous ! Le testament est rédigé et signé, la signature est authentifiée, vous n'obtiendrez que ce que la loi m'oblige à vous donner. Un certain nombre d'organisations de bienfaisance triées sur le volet vont pouvoir remercier leur bonne étoile le jour où je casserai ma pipe, car c'est elles qui vont hériter du reste !

Toute la famille dévisagea l'homme dans le fauteuil roulant. C'était comme si quelqu'un avait appuyé sur un bouton et figé l'image, personne ne bougeait d'un cil. On n'entendait pas un bruit dans la pièce hormis la respiration sifflante de Ruben et la tempête qui rugissait tel un fauve derrière les fenêtres.

Son éclat de colère avait dû lui donner soif, car il saisit son verre d'eau d'une main tremblante et le but d'un trait. Tout le monde se taisait et se tenait absolument immobile. Ruben reposa le verre. Il semblait que ses poumons se vidaient lentement, comme un ballon qui se dégonfle.

Un léger frémissement sur son visage fut le premier signe que quelque chose clochait. Il fut suivi d'un tressaillement discret de la moitié droite qui se propagea ensuite à gauche. Puis le corps entier du vieil homme fut pris de soubresauts. D'abord presque imperceptibles, les spasmes se firent de plus en plus violents. Un son guttural sortit de son gosier tandis que les convulsions secouaient le petit corps efflanqué dans le fauteuil roulant. Les membres de la famille Liljecrona commencèrent à réagir.

— Grand-père ! s'écria Lisette en se précipitant sur lui.

Bernard aussi se leva d'un bond, mais tous deux demeurèrent hésitants quant à la marche à suivre. Bernard essaya d'arrêter les spasmes en appuyant sur les épaules décharnées de Ruben, mais ils étaient trop violents pour qu'il y parvienne.

— Il meurt, il meurt ! cria Vivi et elle tira tellement fort sur son collier de perles que le fil cassa, laissant se répandre une cascade nacrée sur le parquet.

— Mais faites quelque chose ! lança Britten d'un air désemparé.

Martin se rua sur Ruben, mais au moment où il l'atteignit, les spasmes cessèrent net et sa tête tomba sur l'assiette avec un bruit affreux. En prenant le poignet osseux du vieil homme entre le pouce et l'index, Martin chercha son pouls, mais après un instant il annonça :

— Je suis vraiment désolé. Il est mort.

Vivi laissa échapper un nouveau cri et tâta sur son cou le collier qui n'y était plus.

Börje et sa femme arrivèrent en courant de la cuisine et Harald leur cria :

— Appelez une ambulance ! Mon père vient d'avoir une attaque. Il nous faut de l'aide !

— Je suis désolé, mais ce n'est pas possible. La tempête a arraché les lignes téléphoniques, dit Börje, l'air navré. J'ai essayé de téléphoner il y a un instant, mais il n'y avait pas de tonalité.

— De toute façon, cela n'aurait servi à rien, dit Martin en se relevant. Il est mort.

— Mais qu'est-ce qui s'est passé ? sanglota Britten. Il a eu une attaque ? Une crise cardiaque ? Qu'est-ce qui s'est passé ?

Martin pensa d'abord hausser les épaules pour montrer qu'il n'en savait rien. Puis il huma l'air. Une odeur entourait le vieil homme mort… une odeur qui ne lui était pas inconnue… Il se pencha sur Ruben, dont le visage reposait toujours parmi le hareng et les boulettes de viande, et il aspira une large bouffée d'air. Oui, elle était bien là.

Faible, mais distincte. Une odeur d'amandes amères. Une odeur qu'il n'aurait pas dû sentir dans de pareilles circonstances. Il prit le verre que Ruben venait de vider et le renifla. Une exhalation très nette d'amandes amères s'en dégagea et confirma ses soupçons.

— Il a été assassiné.

Son cœur cognait fort dans sa poitrine quand elle regardait le crâne de son grand-père. Il était tellement immobile.

Miranda serra le bord de la table et ne put se résoudre à détacher les yeux du mort. Elle était encore en colère contre lui après qu'il lui eut parlé de façon si agressive, et elle dut réfréner son envie de lui balancer un coup de pied dans le tibia. Il avait osé s'en prendre à elle ! Devant tout le monde ! Pas seulement devant ses parents et son frère, mais aussi devant ses cousins, sa tante et son oncle. Ils ne l'avaient pas quittée des yeux, comme des fauves affamés prêts à se jeter sur les restes après que le chef de meute s'était servi.

Pourquoi ne lui avait-il pas donné plus de temps ? Si quelqu'un était en mesure de comprendre qu'il était très long de construire une activité à partir de rien, c'était bien lui. Ils auraient pu résoudre leurs problèmes avec tout l'argent qu'il possédait. Un million de plus ou de moins, quelle différence ?

C'était de l'argent de poche pour lui. Et ce pauvre Bernard. Lui non plus n'avait pas mérité d'être cloué au pilori de la sorte. Il travaillait tellement dur et avait vraiment toutes les chances de réussir. Si seulement il avait eu un peu plus de temps… Et d'argent.

Mon Dieu ! Et s'il avait déjà changé le testament ? Cette pensée frappa Miranda de plein fouet et lui coupa presque le souffle. Ses ongles creusèrent un peu plus le bois de la table et elle sentit les larmes lui monter aux yeux. Il avait peut-être déjà mis sa menace à exécution ! Il avait peut-être déjà contacté un avocat et fait faire les modifications nécessaires. A tous les coups, il s'agissait bien de cela. Il en était capable, ce vieux schnoque fourbe et rusé, elle en était sûre. Juste pour avoir le plaisir de les voir ramper devant lui et fayoter avant qu'il ne leur porte l'estocade.

Il ne leur resterait que les miettes de ce que la loi l'obligeait à leur donner, déduction faite de ce qu'ils avaient déjà perçu. Pourraient-ils même se retrouver endettés ? Et elle qui était déjà criblée de dettes ! Miranda eut de plus en plus de mal à respirer et jeta un regard furieux sur l'homme assassiné dans son fauteuil roulant.

Le reste de la soirée se passa comme dans une sorte de brouillard. Les paroles de Martin provoquèrent d'abord un silence pesant dans la pièce. Puis elles déclenchèrent une cacophonie impressionnante. Personne ne voulut le croire, mais il expliqua calmement que l'odeur d'amandes amères indiquait une présence de cyanure. L'attaque de Ruben correspondait parfaitement à l'effet induit par ce violent poison.

Il demanda à Börje un sac en papier, dans lequel il glissa le verre. Il faudrait le faire analyser et il s'en voulait de l'avoir touché à la légère. Il avait très bien pu détruire de précieuses empreintes digitales.

— Il faut qu'on essaie de rejoindre le continent, dit-il à Börje avec autorité.

Mentalement, il avait déjà commencé à énumérer les mesures à prendre. Convoquer ses collègues au commissariat. Envoyer les pièces à conviction au labo. Veiller à faire partir le corps à l'institut médicolégal, et surtout, commencer à interroger les témoins. Ainsi, dès lors qu'ils seraient sur la terre ferme, il pourrait enclencher le processus pour retrouver l'assassin.

— On ne peut pas, répondit Börje à voix basse en montrant la tempête qui sévissait dehors et la neige qui tombait si dru qu'elle semblait former un mur blanc.

— Comment ça, on ne peut pas ? Il faut absolument qu'on retourne sur le continent !

— Pas avec le temps qu'il fait. C'est impossible, dit Börje en écartant les mains.

— Mais c'est tout près !

Martin se rendit compte de son irritation et se dit qu'il devait y mettre une sourdine. Il était le premier à devoir rester maître de soi.

— Börje a raison, ajouta sa femme. On ne réussira jamais à sortir le bateau. C'est impossible, le vent nous repoussera immédiatement vers le ponton. Non, il faut attendre que le temps se calme, tout simplement.

— On n'a qu'à appeler les secours en mer, dit résolument Martin.

— Le téléphone ne marche plus, tu n'as pas entendu ? rétorqua Bernard sur un ton qui indiquait clairement ce qu'il pensait de Martin.

— Et les portables, qu'est-ce que tu en fais ?

Martin sortit vivement le sien de sa poche, mais sentit son cœur flancher en voyant qu'il n'y avait pas la moindre couverture réseau.

— Merde ! s'écria-t-il en parvenant tout juste à s'empêcher de jeter le téléphone contre le mur.

— C'est bien ce que je disais, répliqua Bernard avec un ricanement mal dissimulé et Martin eut envie de lui donner une gifle.

— Vous voulez dire qu'on est coincés ici ? sanglota Miranda.

Elle s'accrocha au bras de Matte. Ses yeux mouillés étaient rivés sur l'homme affaissé. Matte ne parut même pas la remarquer.

Pour la première fois, Martin réalisa que Matte était le seul à avoir échappé à l'humiliant interrogatoire pendant le repas, et qu'il était également le seul à montrer du chagrin. Comme pour confirmer ses réflexions, Matte s'approcha du vieil homme, souleva tendrement sa tête de l'assiette et commença à nettoyer son visage avec une serviette. Tous le fixèrent comme hypnotisés, mais personne ne fit un geste pour l'aider. Lorsque le visage de Ruben fut propre, Matte l'inclina doucement contre le dossier du fauteuil roulant et réarrangea la couverture sur ses jambes.

— Merci, Matte, dit Britten en regardant son fils avec reconnaissance.

— Il faudrait le mettre dans un endroit froid, dit Martin en évitant de croiser les yeux de Matte. Si nous n'arrivons pas à partir d'ici, il est important de conserver… les pièces à conviction.

Il s'exprimait sans doute avec maladresse, mais il était le seul à pouvoir garantir le bon déroulement de l'enquête et à faire en sorte qu'il y ait le moins de dégâts possible. Quelque part dans cette maison il y avait un assassin, et il n'avait pas l'intention de le laisser s'en tirer.

— On peut le déposer dans la chambre froide, dit Börje et il s'avança pour lui donner un coup de main.

— Parfait.

Le corps était bien calé dans le fauteuil roulant Martin put aisément le transporter seul jusqu'à la chambre froide.

— Est-ce que la porte ferme à clé ? demanda-t-il à Börje qui hocha la tête en montrant le cadenas.

— On ne tient pas à ce que nos clients viennent faire main basse sur les tournedos, n'est-ce pas ? dit-il avec un sourire en coin qui s'effaça aussitôt devant le visage impassible de Martin.

Après avoir enfermé à clé le corps de Ruben, Martin et Börje retournèrent dans la salle à manger où tout le monde occupait encore exactement la même place. Personne ne semblait en état de bouger.

— Allons dans la bibliothèque, dit Martin en faisant un signe de tête vers la pièce à l'autre bout du couloir. Börje, est-ce que vous avez du cognac ?

Le propriétaire du gîte opina de la tête et partit en chercher une bouteille.

— Est-ce que ce serait possible d'allumer un feu dans la cheminée ? demanda Martin à la femme de Börje, qu'il ne connaissait toujours pas autrement que sous le nom de "ma dulcinée". Je ne sais pas comment vous vous...

— Kerstin, je m'appelle Kerstin, compléta-t-elle. Et, oui, c'est tout à fait possible. Je m'en occupe.

Elle quitta la pièce et Martin prit un ton péremptoire pour s'adresser aux membres de la famille Liljecrona, qui n'avaient toujours pas bougé d'un pouce.

— Allons-y. Venez avec moi.

Il partit le premier en présumant que les autres le suivraient. L'un après l'autre, ils vinrent s'installer dans la bibliothèque. Kerstin était en train d'allumer le feu, et lorsque tous furent assemblés, Börje arriva avec la bouteille. Il sortit des ballons à cognac d'un grand vaisselier et servit une bonne dose du liquide ambré à chacun.

— C'est la norme dans la police par ici ? De servir de l'alcool aux témoins ? demanda Gustav d'une voix faible.

Il vida cependant avec reconnaissance son verre et le tendit de nouveau à Börje.

— Non, pas vraiment, dit Martin avec un léger sourire. Mais rien dans cette affaire ne semble entrer dans les normes. C'est pour ça qu'on avance en tâtonnant.

Un instant, il aurait voulu que Patrik Hedström, son collègue le plus proche au commissariat de Tanumshede, soit là. Cela ne faisait pas très longtemps qu'ils travaillaient ensemble, mais Martin l'admirait énormément. Il se serait senti plus confiant avec Patrik à ses côtés. Il aurait très certainement su quoi faire. Tant pis, il n'était pas là, et Martin devrait se débrouiller seul. Simplement, il ne fallait pas décevoir Patrik. Ce n'était qu'une question de bon sens, il suffisait de procéder par étapes.

— Puisque nous ne pouvons pas nous rendre au commissariat, je prendrai vos témoignages ici. Je vais vous entendre à tour de rôle, et je pars du principe que vous allez coopérer.

Il posa un instant son regard sur chacun d'eux, personne ne semblait avoir d'objection à faire.

— Je propose que nous commencions tous les deux, poursuivit-il en faisant signe à Harald de le suivre.

La main qui tenait le ballon à cognac tremblait. Britten regarda avec préoccupation le large dos de son mari qui disparaissait par la porte. Elle s'inquiétait pour lui et se demandait comment il résisterait à la pression. Harald paraissait si solide. Un roc. Mais elle savait que ce n'était qu'une façade. Leur long mariage lui avait appris qu'il était toujours un petit garçon effrayé. Elle en imputait la faute à Ruben. Il avait été trop dur. Trop exigeant. Il désirait que ses fils soient de la même trempe que lui. Mais ni l'un, ni l'autre ne l'avaient jamais été. Gustav avait une apparence physique aussi veule que l'était son tempérament et s'en était toujours mieux tiré que son frère dont la grande taille donnait une impression de force. Personne n'avait jamais décelé la faiblesse qu'il portait en lui. Pourtant, elle supposait que Ruben avait dû le savoir mais il avait choisi de l'ignorer, et elle le haïssait pour cela.

La mission qu'il avait donnée à Harald était dès le départ vouée à l'échec. Et l'idée de laisser Gustav et Harald travailler ensemble… eh bien, elle était si saugrenue que Britten s'était demandé si Ruben avait toute sa tête lorsqu'il leur avait fait cette offre. Mais ses fils avaient mordu à l'hameçon, évidemment. Ils étaient si enthousiastes qu'ils en salivaient à l'avance. Ils mouraient d'envie de montrer à leur père qu'ils étaient aptes à lui succéder et que tous leurs fiascos précédents seraient balayés d'un seul coup. Ils auraient enfin l'occasion de regagner le respect de Ruben, après tant d'années. Oui, ils avaient peut-être même osé penser qu'ils regagneraient son amour mais cela avait fini en eau de boudin. Harald rentrait du bureau chaque jour de plus en plus pâle, de plus en plus tassé. L'année passée, son infarctus n'avait surpris personne. Pendant quelque temps, il avait même redonné espoir à Britten. Car Harald s'en était tiré, et elle avait cru que Ruben verrait enfin que la tâche était trop lourde pour son fils. Ce ne fut pas le cas. Il avait envoyé une brassée de fleurs à son chevet, puis lui avait demandé quand il serait prêt à se remettre en selle.

— Qu'est-ce qu'il va raconter, à ton avis ? lui chuchota Gustav. Tu crois qu'il…

— Je ne sais pas, Gustav, dit Britten sèchement.

Le côté geignard de son beau-frère et sa façon de toujours se débiner commençaient à lui porter sur les nerfs.

— J'espère vraiment qu'il ne… Il utilisait de nouveau ce ton pleurnichard et sa voix était un poil trop aiguë lorsqu'il répéta, en chuchotant cette fois : j'espère vraiment qu'il ne…

— Arrête ! aboya Britten, et ce fut son intonation plus que l'injonction qui interrompit Gustav. Peu importe ce que Harald va dire ou ne pas dire. La limite est franchie, et j'aimerais autant que tout soit révélé.

— Mais…, tenta Gustav, le regard errant.

Mais Britten en avait assez. Elle lui tourna le dos et se concentra sur la tempête qui régnait au-dehors. La discussion était close.

— Vous êtes donc l'aîné ?

— Oui.

Harald Liljecrona fixa le vide devant lui. Ils avaient emprunté le bureau de Börje et Kerstin et se trouvaient de chaque côté d'une table de travail surchargée. Kerstin avait trouvé un bloc-notes vierge et un stylo pour Martin, et il se tenait prêt à noter tous les renseignements qu'il pourrait obtenir. Il aurait préféré un magnétophone, comme au commissariat, mais dut se contenter de ce qui était à sa disposition.

— Oui, je suis le fils aîné, répéta Harald en observant Martin.

— Et vous travaillez dans l'entreprise familiale, si j'ai bien compris ?

Harald s'esclaffa, son rire était étrange, beaucoup trop fluet pour un homme de sa corpulence.

— Oui, si on peut qualifier d'"entreprise familiale" une multinationale qui brasse des milliards.

— Et quel est votre rôle dans l'entreprise ? demanda Martin en l'étudiant de près.

— Je suis le PDG. Gustav est le directeur financier.

— Comment fonctionne votre collaboration ?

Il poussa de nouveau un petit rire.

— Eh bien, je suppose que ce n'est pas la meilleure idée qu'ait eue papa, de nous confier des responsabilités qui empiètent l'une sur l'autre. Nous ne nous sommes jamais entendus, Gustav et moi. Ce n'est pas la peine d'en faire un mystère, vous allez certainement apprendre des choses bien pires de la bouche des autres, surtout de Vivi. Ma belle-sœur est une vraie langue de vipère... Il se tut, avant de reprendre : Papa espérait peut-être que Gustav et moi serions plus proches si nous étions forcés de travailler ensemble tous les jours. En réalité, ça n'a fait qu'empirer les choses.

— Pendant le repas, faisait-il allusion à un fait en particulier lorsqu'il a demandé comment se portait l'entreprise ?

Cette fois, le rire ne vint pas.

— J'ignore totalement de quoi il a voulu parler. Certes, nous avons du mal à nous entendre, Gustav et moi, et parfois les assiettes volent au bureau – c'est une métaphore – mais, non, je ne sais pas ce que papa a pu entendre pour nous poser une telle question.

— Vous l'ignorez totalement ?

— Totalement.

Le ton sec de Harald indiquait clairement qu'il n'avait pas l'intention de fournir de réponse à cette question même s'il en existait une.

— Avez-vous une idée de qui a pu vouloir assassiner votre père ? demanda Martin et il attendit la réponse avec impatience en tenant la pointe de son stylo à quelques centimètres au-dessus du bloc-notes.

— Eh bien, vous étiez là, vous avez bien vu l'atmosphère qui régnait à table. Pensez-vous qu'il y en ait un parmi ces vautours qui ne souhaitait pas sa mort ? dit Harald spontanément, puis il parut regretter son commentaire. Non, je pousse peut-être le bouchon un peu loin. Je veux dire, on a eu nos heurts et nos désaccords dans la famille, je ne peux pas le nier. Mais de là à vouloir l'assassiner… Pour répondre à votre question, je n'en ai aucune idée.

Martin lui posa encore une poignée de questions et mit fin à l'interrogatoire lorsqu'il sentit qu'il n'apprendrait rien de plus.

La personne suivante à prendre place devant Martin fut Miranda. Il n'avait pas établi de système pour l'ordre de passage des membres de la famille, il comptait tous les entendre.

Miranda paraissait petite et fragile. Ses cheveux noirs qui auparavant tombaient librement sur ses épaules étaient ramassés en une queue-de-cheval serrée, ce qui mettait encore plus en valeur sa beauté.

— C'est tellement horrible, dit-elle. Sa lèvre inférieure tremblait.

Martin fut obligé de faire un effort pour ne pas la prendre dans ses bras et lui dire que tout allait s'arranger. Il s'en voulut. Ce n'était pas très professionnel comme réaction.

— Oui, c'est vraiment horrible, dit-il lentement en tapotant avec le stylo sur le bloc-notes. Est-ce que tu sais qui pourrait avoir envie de tuer ton grand-père ?

— Non, je ne vois absolument pas, sanglota Miranda. Je ne comprends pas comment ça a pu se produire ! Comment peut-on faire une chose pareille !

Embarrassé, Martin lui tendit un mouchoir en papier qu'il tira d'une boîte sur le bureau. Les femmes qui pleuraient le mettaient toujours mal à l'aise. Il se racla la gorge.

— D'après ce que j'ai entendu pendant le repas, ton grand-père n'était pas satisfait de ta façon de gérer tes affaires, dit Martin en se rendant compte que cela sonnait guindé.

— Grand-père a toujours été très généreux avec ses enfants et ses petits-enfants, hoqueta-t-elle. Il m'a prêté le capital pour démarrer mon agence de design, et si seulement j'avais eu un peu plus de temps… et peut-être un tout petit peu plus de fonds, j'y serais arrivée, j'en suis sûre. Mais j'ai été poursuivie par la malchance, et les clients n'ont pas encore découvert mes produits et…

— Ton grand-père t'a donc prêté de l'argent. Et maintenant tu n'en as plus et tu avais l'intention de lui en demander davantage ? Ai-je bien compris ?

— Oui, il ne me fallait qu'un tout petit million de plus pour renflouer les caisses, ça m'aurait donné le temps nécessaire pour que ça décolle. Le monde de la mode n'est pas tendre, il faut miser gros pour réussir ! répondit-elle en relevant la tête. Sa lèvre ne tremblait plus.

— Tu voulais demander un million de couronnes à ton grand-père ?

— Oui. C'est de l'argent de poche pour lui. Tu as idée de tout ce qu'il a sur ses comptes en banque, le vieux ?

Elle refit un petit mouvement de la tête et leva les yeux au ciel, puis elle parut réaliser ce qu'elle venait de dire et sa lèvre se remit à trembler.

— Alors tu ne le lui avais pas encore demandé ?

Martin regarda avec moins de sympathie les larmes de crocodile qui ruisselaient sur ses joues.

— Non, non, jura-t-elle en se penchant vers le bureau. J'avais l'intention de le faire au cours du week-end, mais je n'avais pas encore eu le temps d'entamer le sujet.

— Et les autres membres de la famille ?

— Oui ? Qu'est-ce qu'ils ont ?

— Ruben semblait avoir des choses à leur reprocher aussi. Est-ce que tu penses que quelqu'un aurait pu réagir plus violemment que…

Miranda l'interrompit. Ses yeux furieux semblaient lancer des éclairs.

— Tu crois réellement que je désignerais quelqu'un de ma propre famille comme assassin ? Tu le crois vraiment ?

— J'ai simplement demandé si l'un d'eux a pu réagir plus violemment que les autres.

— Et ce ne serait pas pareil que de demander qui, à mon avis, a pu tuer grand-père ?

Intérieurement, Martin dut lui donner raison. Il se sentit tout à coup terriblement fatigué. Pendant plusieurs semaines, il avait redouté ce séjour avec Lisette, et on pouvait sans exagérer dire que cela s'était révélé cent fois pire que ce qu'il aurait pu imaginer. Il regarda sa montre qui indiquait 23 heures passées et dit :

— Il est tard. Je pense qu'on va s'arrêter là, on reprendra demain.

Une vague de soulagement parcourut le visage de Miranda. Elle hocha la tête et se leva. Martin lui emboîta le pas pour retourner auprès des autres dans la bibliothèque. L'ambiance était tellement pesante qu'il lui sembla rentrer dans un mur.

— Je vais interrompre les interrogatoires pour ce soir. On est tous fatigués, et je pense qu'il vaut mieux reprendre demain, à tête reposée.

Personne ne répondit, mais tous semblèrent soulagés.

— Tu veux un cognac ?

Lisette vint le rejoindre et posa sa main sur son bras. Son premier instinct fut de répondre par la négative, il était pour ainsi dire en service. Mais la fatigue et le poids de la responsabilité aidant, il fit oui de la tête et se laissa tomber dans le fauteuil le plus proche. Dehors, la neige tourbillonnait toujours. Une branche battait contre une fenêtre à l'autre bout de la maison.

— C'est sûr alors, qu'on ne peut pas rejoindre la terre ferme ? demanda Vivi en touchant son cou d'une main tremblante à l'endroit où s'était trouvé le collier de perles.

— Tu as entendu ce qu'ils ont dit ! Ce n'est pas possible ! s'exclama Gustav. Sa voix était un peu trop haut perchée et il répéta sur un ton plus doux : ce n'est pas possible, Vivi. On verra demain. La tempête se sera peut-être calmée d'ici là et on pourra faire la traversée.

— Je n'y compterais pas, dit Harald. La météo dit que ça va continuer comme ça jusqu'à dimanche. Je pense qu'il nous faudra prendre notre mal en patience et attendre sagement ici.

— Mais je ne peux pas rester deux jours ici… avec un cadavre !

C'était de nouveau la voix de Vivi, et tous les regards se tournèrent vers elle.

— Et qu'est-ce que tu proposes qu'on fasse ? Qu'on vole par-dessus la glace jusqu'à Fjällbacka ? rugit Harald.

Gustav se leva et posa un bras autour de sa femme.

— Tu ne parles pas à Vivi sur ce ton. Elle est en état de choc, tu le vois bien… Nous sommes tous en état de choc.

Harald renifla, et au lieu de répondre, il but une grande gorgée de cognac. Une voix étouffée se fit entendre depuis le fauteuil près de la fenêtre.

— Vous vous disputez, comme d'hab. Personne ne parle de grand-père. Il est mort ! Il n'est plus là ! Vous entendez ? On dirait que vous n'en avez rien à foutre. La seule chose qui compte pour vous, c'est de continuer à vous prendre la tête. Pour des conneries ! Et pour l'argent ! Grand-père avait honte de vous, tous autant que vous êtes, et je peux le comprendre !

Matte respira bruyamment et s'essuya les yeux avec la manche de son pull.

— Voilà l'autre qui se réveille ! dit Bernard avec mépris. Il était nonchalamment installé dans un coin du canapé et faisait tourner le cognac dans son verre. Le chouchou de grand-père. Le brave toutou toujours prêt à écouter ses histoires interminables. Tu as même fait semblant de te passionner pour ses foutaises de club Sherlock Holmes. Et tu ne t'es pas gêné pour accepter son argent, toi non plus.

— Bernard..., supplia Lisette, mais son cousin ne prêta aucune attention à son intervention.

— Tu t'es retrouvé avec un appartement en ville quand tu as commencé tes études. Combien il vaut ? Trois millions ? Quatre ?

— Je n'ai jamais rien demandé ! dit Matte en foudroyant Bernard du regard. Contrairement à vous, je ne suis pas allé mendier auprès de lui pour un oui ou pour un non. L'appartement était au nom de grand-père, et je pouvais y habiter en attendant d'avoir mon diplôme, mais après, je devais me débrouiller tout seul, c'était le deal. Et je ne voulais pas qu'il en soit autrement ! Grand-père le savait !

Il essuya encore une fois ses larmes, puis se tourna vers la fenêtre, manifestement gêné de pleurer devant les autres.

— Matte, nous savons combien vous étiez proches, grand-père et toi, dit Britten. Et nous sommes sincèrement désolés. Simplement, nous sommes... sous le choc, comme oncle Gustav vient de le dire.

Elle s'assit sur l'accoudoir du fauteuil de son fils et lui caressa doucement le bras. Il la laissa faire, mais conserva son regard braqué sur l'obscurité.

— Bon, il est peut-être temps d'aller se mettre au lit, dit Harald en se levant. Avant qu'on dise des choses qu'on regrettera demain.

Un murmure confirma que tout le monde était du même avis, et ce fut le signe du départ. Seule Vivi s'attarda dans la bibliothèque.

— Notre chambre est à l'étage, dit Lisette en tirant légèrement Martin par le bras. Tu n'as que ton sac à monter, le mien y est déjà.

Il la suivit dans le long escalier et il ne fallut pas longtemps avant qu'ils soient couchés. Même si les lits étaient d'un confort divin, il resta longtemps éveillé à écouter la respiration profonde de Lisette à ses côtés. Dehors, la tempête faisait rage et Martin se demanda de quoi le lendemain serait fait.

Toucher son collier de perles lorsqu'elle était inquiète était une habitude que sa mère avait depuis l'adolescence. Et après toutes ces années, cela représentait beaucoup de tripotage. "Viveca a des problèmes avec ses nerfs", avait-elle entendu répéter sa mère à tout bout de champ pendant sa jeunesse. Cela avait fini par devenir une réalité. Elle avait cru au début qu'on le disait pour justifier les effusions de sentiment naturelles chez une enfant ou une adolescente. Mais avec le temps, cette formulation lui avait collé à la peau telle une sorte de pellicule sale. Les gens la traitaient comme si elle avait les nerfs malades, alors autant s'y conformer.

Aujourd'hui, tout lui faisait peur. Les araignées, les serpents, l'effet de serre et la course à l'armement nucléaire au Moyen-Orient. Ces craintes pouvaient paraître justifiées mais elle redoutait également des choses infimes au quotidien comme le regard de ceux qu'elle croisait, les sous-entendus lorsqu'ils s'adressaient à elle, les offenses invisibles et les attaques inattendues. Le monde entier était devenu un endroit menaçant et elle était presque constamment en train de tripoter son collier. Et maintenant elle ne l'avait plus. Des centaines de petites perles s'étaient répandues sur le sol de la salle à manger. Kerstin l'avait consolée et lui avait dit qu'elle les retrouverait certainement toutes en balayant. Elle n'aurait qu'à les donner à un bijoutier qui les enfilerait de nouveau. C'était sûrement vrai. Mais ce ne serait plus pareil. Ce qui était détruit ne pouvait jamais redevenir comme avant. Un objet neuf restait un objet neuf.

Un instant, elle eut l'impression de voir le regard accusateur de Ruben devant elle. Celui qu'il posait toujours sur elle. Accablant et plein de mépris pour sa faiblesse. Oh, comme elle aurait voulu avoir ne serait-ce qu'un centième de la force qui émanait si naturellement de lui ! Sans parler de son désir de voir Gustav hériter au moins d'une toute petite partie de ses biens. Ensemble, ils étaient encore plus vulnérables que seuls et sans Ruben, cette menace unificatrice, qui les avait soudés pendant toutes ces années, leur couple ne survivrait jamais. Vivi le savait. Alors qu'elle fixait de ses yeux secs et aveugles le feu qui se mourait, elle eut le pressentiment qu'une catastrophe s'approchait à la vitesse de l'éclair. De vieux secrets avaient commencé à reprendre vie, comme une créature monstrueuse sous la surface.

Le lendemain, la tempête n'avait pas faibli. Börje et Kerstin avaient vaillamment essayé de déblayer la neige devant la porte d'entrée, mais il en était tombé une telle quantité qu'elle atteignait presque le rebord des fenêtres. Si cela continuait à ce rythme pendant encore vingt-quatre heures, ils seraient complètement ensevelis.

Ce fut un groupe morose qui se réunit dans la salle à manger. Il était étrange de s'asseoir à la même table que la veille au soir mais personne n'y avait vu d'objection lorsque leurs hôtes avaient demandé si cela leur convenait. Encore une fois, il y avait profusion de victuailles. Des œufs à la coque, trois sortes de fromages, du jambon, du salami, du bacon et du pain tout juste sorti du four. Pourtant, presque tous mangèrent du bout des lèvres. Seuls Harald et Bernard firent honneur au petit déjeuner sans laisser un meurtre gâcher leur appétit.

— Vous avez bien dormi ? lança Britten qui tentait d'engager une conversation. Elle n'obtint que quelques murmures épars en guise de réponse. Les lits sont vraiment confortables, poursuivit-elle à l'intention de Kerstin qui faisait le tour de la table pour servir du café.

— J'espère que vous n'avez pas eu froid ? Autrement, il faut me le dire, on peut vous donner des couvertures supplémentaires.

— Non, il n'y a pas eu de problème. C'était très bien.

Britten jeta un regard autour d'elle pour voir si quelqu'un voulait ajouter quelque chose, mais tous avaient les yeux rivés sur leur assiette.

Martin ne supportait plus cette ambiance pesante et annonça brusquement :

— J'aimerais poursuivre les interrogatoires après le petit déjeuner. Gustav, pourriez-vous me rejoindre dans le bureau dans… Il regarda sa montre. Disons dans dix minutes ?

— Bien sûr. Dans dix minutes. J'y serai. Le prochain à passer sur le gril, c'est ça ?

Il eut un petit rire qui partit dans les aigus. Il fut le seul à trouver cela amusant.

— Merci pour le petit déjeuner, dit Martin en se levant.

Il n'avait rien de particulier à préparer dans le bureau, mais il voulait rester tranquille et se concentrer un petit moment.

Exactement dix minutes plus tard, à la seconde près, Gustav Liljecrona pénétra dans la pièce. Martin fut de nouveau frappé par la différence entre son frère et lui. Là où Harald était grand, large d'épaules et pourvu d'une chevelure abondante, Gustav était petit, fluet avec seulement une amorce d'épaules et des cheveux qui n'étaient plus qu'un lointain souvenir.

— Bien, me voici, dit-il en s'asseyant.

Martin attaqua sans préambule avec une première question :

— Comment était votre relation avec votre père ?

Gustav sursauta et parut ne pas savoir où poser son regard. Il finit par se décider pour le plateau du bureau et répondit lentement :

— Eh bien, quoi dire ? Elle était comme les relations père-fils en général, je suppose. Autrement dit, un rien compliquée par moments, dit-il avec un petit rire nerveux.

Martin feuilleta les notes consacrées à l'interrogatoire de Harald avant de poursuivre :

— Un rien compliquée ? D'après ce que j'ai compris, vous aviez une relation extrêmement compliquée avec Ruben. Comme votre frère, d'ailleurs. Et la relation entre vous deux semble également problématique.

Gustav laissa échapper un autre petit rire nerveux. Il ne regardait toujours pas Martin dans les yeux.

— C'est vrai, ce n'est pas toujours très facile, la famille. Et papa avait mis la barre très haut – c'est le moins qu'on puisse dire.

— Son idée, en vous attribuant des postes clés dans l'entreprise, était sans doute de vous rapprocher l'un de l'autre ?

Il n'obtint qu'un reniflement de mépris pour toute réponse.

— Si j'ai bien compris, le résultat n'a pas été à la hauteur des attentes, insista Martin.

— Je suppose que non.

Gustav ne paraissait pas avoir très envie de discuter de ce sujet, mais cela n'empêcha pas Martin de poursuivre :

— Ce que votre père a mentionné au dîner. Au sujet de l'entreprise. De quoi s'agissait-il ?

Gustav se tortilla sur sa chaise, mal à l'aise.

— Aucune idée.

C'était la même réponse qu'avait donnée son frère. Martin ne croyait ni l'un ni l'autre, pas un seul instant.

— Il avait quand même quelque chose derrière la tête, non ? D'autant que sa dernière démarche a plus ou moins été de vous déshériter. C'est une mesure plutôt radicale.

— Je pense que ce n'étaient que des paroles en l'air, répondit Gustav en tripotant nerveusement l'ourlet de sa veste. Ça lui prenait de temps en temps. Comme une façon de montrer qui décidait. Il réaffirmait son pouvoir. Mais ça ne voulait rien dire. Rien du tout.

— Ce n'est pas l'impression que j'ai eue, dit Martin.

— Non, mais c'est normal, vous ne connaissez pas notre famille, le rabroua Gustav en triturant encore plus fort sa veste.

Il avait l'air inquiet, mais Martin ne se laissa pas intimider.

— Vous avez raison, dit-il calmement. Mais je compte en savoir considérablement plus après avoir eu un entretien avec chacun d'entre vous.

Il continua à questionner Gustav pendant encore une demi-heure, mais ne parvint pas à lui faire dire quoi que ce soit d'utile. Personne dans la famille n'avait de raison de vouloir tuer Ruben. Non, il n'avait rien vu de suspect ni dans la journée, ni dans la soirée. Non, il ne comprenait pas ce à quoi son père avait fait allusion en parlant de l'entreprise.

Un petit coup frappé à la porte vint finalement les interrompre. C'était Kerstin.

— Désolée si je vous dérange. Je voulais juste vous dire que le café est servi dans la bibliothèque, alors quand vous aurez terminé, si vous…

— Je pense qu'on peut s'arrêter là, dit Martin en soupirant. Mais on reprendra à une autre occasion.

Il n'avait pas voulu dire cela comme une menace, plutôt comme une constatation. Pourtant, Gustav tressaillit. Puis il se leva et sortit vivement du bureau.

Martin, qui se sentait de plus en plus frustré, commençait à se demander s'il était vraiment à la hauteur de la tâche. De nouveau, il regretta de ne pas avoir le soutien de Patrik Hedström. Il n'avait cependant pas le choix. Il se retrouvait avec cette affaire sur les bras et il ferait de son mieux. Dès qu'ils auraient rejoint la civilisation, il recevrait toute l'assistance dont il avait besoin. En attendant, il lui fallait seulement rester maître de la situation et tout irait bien.

Martin entendit des voix agitées dans la bibliothèque et en entrant dans la pièce, il trouva Gustav et Harald debout face à face, aussi écarlates l'un que l'autre. Ils se disputaient et de la salive giclait de leur bouche.

— Toi, tu ne te prends pas pour de la merde ! Tu penses que tu sais tout mieux faire que les autres ! hurla Gustav en menaçant son frère du poing.

— C'est parce que je sais effectivement tout mieux faire que toi ! Qu'est-ce que tu as réussi dans la vie ? Hein ? Qu'est-ce que tu as réussi ?

Le visage de Harald avait pris une telle teinte que Martin eut peur qu'il ne fasse une crise cardiaque sous leurs yeux. Britten nourrissait manifestement les mêmes craintes, car elle vint tirer sur le bras de son mari en le suppliant d'arrêter.

— Tu te crois fortiche, mais tu te mets le doigt dans l'œil ! cracha Gustav. J'ai appris pourquoi nos fournisseurs américains se sont retirés au printemps dernier. Tu t'es montré incompétent et imprévisible, tu as même réussi l'exploit d'offusquer leur PDG. Comme ça, grâce à toi on a perdu un contrat qui aurait pu générer jusqu'à 10 % de notre chiffre d'affaires de l'année prochaine.

Harald voulut frapper Gustav, mais celui-ci esquiva habilement le coup. Britten tira plus fort sur le bras de son mari pour le retenir.

— Je t'en prie, Harald, arrête maintenant. C'est vraiment inutile, tout ça ! Vous êtes frères, après tout. Pense à ta tension...

Mais son mari ne voulut rien entendre.

— Eh bien moi en tout cas, je n'ai pas détourné de fonds..., lâcha Harald, puis il se tourna vers Martin. Vous ne le saviez pas, ça. Que mon cher frère a puisé dans les caisses de la boîte pendant plus d'un an. Il manque plus de cinq millions. Les experts-comptables viennent de mettre le nez dedans, c'est sûrement à ça que papa faisait allusion hier à table. Alors si vous cherchez un mobile, en voilà un. Cinq millions plus précisément.

Harald pointa un doigt triomphant sur son frère. Gustav pâlit au point de devenir presque transparent.

— Ha ! Ça te cloue le bec ça, hein !

Harald se débarrassa de la main de Britten puis il croisa les bras sur la poitrine. On aurait dit un chat qui venait d'avaler un canari bien gras.

— C'est... Ce n'était qu'un emprunt..., bégaya Gustav. J'avais l'intention de le rendre.

Je le jure. Jusqu'au dernier *öre*. J'ai juste emprunté parce que… J'ai juste…

Il bafouilla puis se tourna vers Vivi qui, elle aussi, était restée derrière son mari pendant la passe d'armes. Elle était aussi blanche que Gustav et elle le fixait, les yeux écarquillés. Elle cherchait son collier de la main.

— Gustav ? Que… que veut-il dire ? Cinq millions ? Gustav… ?

Avec un air désespéré, Gustav tendit la main vers sa femme, qui fit un rapide pas en arrière pour éviter son contact.

— Chérie… je…

Il regarda par la fenêtre comme pour essayer de découvrir un moyen de fuir, mais la tempête sévissait avec autant de fureur qu'auparavant et empêchait toute retraite. Il se laissa tomber dans un fauteuil et enfouit le visage entre ses mains. On aurait pu entendre une mouche voler dans la pièce alors que tous l'observaient. Vivi avec incrédulité, Harald avec triomphe, Bernard avec une satisfaction manifeste et Britten avec une certaine pitié. Vivi fut la première à rompre le silence d'une voix tremblante.

— Qu'as-tu fait de tout cet argent Gustav ? Qu'as-tu fait de l'argent ?

Dans son fauteuil, Gustav poussa d'abord un profond soupir, puis il répondit d'une voix saccadée.

— Je… l'ai… perdu au jeu.

Vivi prit une profonde inspiration. Bernard poussa un petit rire et Martin vit

Miranda lui donner un coup de coude et chuchoter :

— Reprends-toi !

— Tu as… perdu l'argent au jeu…, dit Vivi en secouant lentement la tête comme si elle ne voulait pas y croire. Quels jeux ?

La tête toujours enfouie entre ses mains, Gustav murmura :

— Courses de chevaux, poker en ligne, n'importe quoi qui pouvait me procurer une poussée d'adrénaline. Au début, je gagnais. Puis j'ai commencé à perdre. J'ai pensé qu'en continuant encore un peu, la chance allait tourner et que je regagnerais tout ce que j'avais perdu pour pouvoir rembourser l'entreprise.

— Tu n'es qu'un foutu loser, dit Harald d'un air dégoûté.

Gustav leva brusquement la tête et foudroya son frère du regard.

— Ne la ramène pas, toi ! Comme PDG, tu ne vaux pas un clou, papa était sur le point de te virer ! Et tu le sais ! Et qu'aurais-tu fait dans ce cas-là, hein ? Plus de poste de directeur, papa ne t'aurait pas donné d'argent et tu te serais retrouvé sans un radis. Tu as profité de ses largesses toute ta vie et tu es incapable de te débrouiller seul. Alors si tu veux qu'on parle de mobile, le tien vaut bien le mien !

Gustav lâcha cette dernière phrase à l'intention de Martin, avant de se lever et de se ruer vers la porte.

Le silence résonna dans la pièce. Puis Bernard lança sur un ton guilleret :

— Voilà, le spectacle est terminé. Quelqu'un veut du café ?

Qu'ils soient aussi autodestructeurs le laissait pantois. Bernard n'aurait jamais cru que son vieux ait eu l'audace de détourner cinq millions de couronnes – et de les perdre au jeu ! Il gloussa tout bas et prit une brioche à la cannelle. En fait, il aurait dû le plaindre, mais la pitié n'avait jamais été son fort. De temps en temps, cela l'étonnait, que quelqu'un d'aussi brillant et déterminé que lui puisse être né de parents aussi minables. Cela en disait long sur la théorie de l'inné et l'acquis.

Il s'installa près de sa sœur qui était seule à une table. Elle tournait lentement une cuillère dans son café.

— Tu ne prends rien ? demanda-t-il en désignant les assiettes qui débordaient de pâtisseries derrière lui.

— Non, je suis au régime, dit-elle distraitement.

C'était manifestement une phrase toute faite qui décrivait son quotidien plutôt qu'un état temporaire.

— Tant pis pour toi, dit Bernard et il mordit dans sa brioche.

— Je ne comprends pas comment tu peux manger autant de sucreries et rester si mince, dit Miranda en le contemplant, dégoûtée.

— J'ai hérité d'excellents gènes, dit-il en tapotant son ventre plat.

— Oui, c'est vraiment toi qui as tiré le gros lot, répondit jalousement Miranda. Maman et papa t'ont refilé les bons gènes et moi j'ai eu… bah, va savoir ce que j'ai eu, dit-elle en riant.

— En tout cas, c'est la seule bonne chose qu'ils m'aient donnée, dit Bernard avec un sourire en coin.

— Eh oui, soupira Miranda.

Ce n'était pas la première fois qu'ils discutaient de cela, ils étaient d'accord pour dire qu'ils n'avaient pas grand-chose en commun avec leurs parents.

— Tu en penses quoi ?

— De tout ça ? Je n'en sais trop rien, dit Miranda en soupirant de nouveau.

— Tu penses la même chose que moi ? chuchota Bernard.

— Que le testament est peut-être déjà modifié ? Oui, l'idée m'a traversé l'esprit… En tout cas, c'est ce qu'il disait.

— Alors ce n'est pas la peine de paniquer. Il est toujours possible de contester un testament. On trouvera sans problème des témoins pour certifier que le vioque était complètement gâteux.

— Mmm, fit Miranda, l'air sceptique. Elle cessa brusquement le mouvement de sa cuillère et parcourut la pièce du regard, avant de chuchoter : tu crois que c'est qui, l'assassin ?

— Je n'en ai aucune idée. Absolument aucune, dit Bernard avant d'avaler le dernier morceau de sa brioche.

Après avoir mangé un certain nombre de pâtisseries de toutes sortes, Martin fut pris d'une somnolence irrésistible. Il aurait dû examiner la chambre de Ruben pour essayer de trouver quelque chose, n'importe quoi, qui ferait avancer l'enquête, mais opta pour une petite sieste. Il avait besoin d'une pause pour tout passer en revue. A son grand regret, Lisette l'accompagna et au lieu d'un moment de calme, il dut écouter son éternel bavardage.

— Je trouve ça affreux qu'oncle Gustav ait détourné le fric de l'entreprise, et puis il a le culot de dire ces horreurs sur papa... Rien qu'à y penser... Que papa pourrait... Mon pauvre papa. Je ne les ai jamais vraiment aimés, oncle Gustav et tante Vivi, je dois le reconnaître...

Martin eut du mal à réprimer un profond soupir. Ce qui au début lui avait plu chez Lisette, sa facilité à parler avec entrain, commençait à perdre de son charme en un temps record. Il réalisait que Lisette n'était qu'une amourette de vacances et qu'elle aurait dû le rester. Manque de chance, il tombait toujours sur les filles qu'il ne fallait pas ! Parfois il se demandait s'il trouverait un jour quelqu'un qui partagerait son existence.

Pour l'instant, ces expériences n'étaient pas très prometteuses. D'un autre côté, il n'était pas si vieux et avait encore tout son temps. Mais il devait d'abord se sortir de ce mauvais pas.

— En tout cas, j'ai du mal à comprendre comment Gustav a pu avoir un fils aussi beau que Bernard, poursuivit Lisette. Vivi était pas trop mal quand elle était jeune, j'ai vu des photos, il tient sans doute d'elle. Et Miranda, elle est vraiment belle, tu ne trouves pas, Martin ?

Au ton de Lisette, Martin comprit que le terrain était miné, et qu'il ferait mieux d'ignorer la question. Il poussa donc un petit ronflement en espérant que Lisette ne comprenne pas le subterfuge. Dieu soit loué ! Cela semblait fonctionner, elle n'insista pas.

Un instant plus tard, il s'était endormi.

Martin se redressa d'un coup et réalisa qu'il avait dormi plus d'une heure. Il rejeta la couverture en poussant un juron. La place à côté de lui était vide et froide, Lisette avait quitté le lit depuis un bon moment. Irrité, il passa sa main dans ses cheveux et rejoignit le couloir. Du coin de l'œil, il aperçut deux ombres qui tournèrent rapidement au bout du corridor. Il courut pour les rattraper, mais elles avaient disparu avant qu'il n'atteigne l'escalier. Qui voulait l'éviter et pourquoi ?

Toujours dans un état de légère somnolence, il descendit les marches et suivit le son des voix jusqu'à la bibliothèque. La tempête de neige ne montrait aucun signe d'accalmie, au contraire. L'inquiétude de devoir rester enfermés dans de pareilles circonstances se lisait sur tous les visages. Tous avaient les traits tirés et semblaient couverts d'un voile gris. Martin scruta la pièce d'un œil suspicieux en se demandant qui avait voulu se soustraire à son regard. Personne n'avait l'air inquiet, ni même essoufflé.

— Tiens, tiens, on se réveille ? tonitrua Harald. C'est sympa de voir où passe l'argent du contribuable. Les forces de l'ordre piquent un roupillon pendant qu'un assassin se balade en liberté.

Il gloussa et Britten, qui trouvait apparemment sa plaisanterie de fort mauvais goût, lui donna un coup de coude.

— J'aimerais poursuivre les interrogatoires, dit Martin. Il se rendit compte qu'il devait paraître bourru et ajouta sur un ton plus doux : Bernard, est-ce que tu pourrais…

Bernard ne se donna pas la peine de répondre. Il leva lentement un sourcil, posa son verre et suivit Martin.

— C'est toi que j'ai aperçu au premier tout à l'heure ? demanda Martin en observant attentivement l'homme assis en face de lui.

— A l'étage ? Non, j'étais dans la bibliothèque. Tu m'as bien vu en arrivant, non ?

Bernard croisa les jambes avec un air narquois. Martin n'était pas convaincu, si bien qu'il ajouta :

— As-tu vu quelqu'un d'autre descendre à l'instant ?

— Mmmm, non, on était tous dans la bibliothèque. Mais dis-moi, je croyais qu'on était là pour parler d'hier soir. Pour essayer de trouver qui a tué notre cher grand-père Ruben, celui qui repose maintenant dans une chambre froide… Pas pour savoir qui se baladait à l'étage.

— Oui, parlons d'hier soir. Ton grand-père n'a pas été tendre avec toi au dîner. Que voulait-il dire ? De quelles "sources" parlait-il, et quelles révélations avaient-elles à faire sur l'entreprise dont tu es apparemment l'un des associés ?

Bernard enleva quelques fils invisibles de son pantalon impeccablement repassé. Puis il regarda Martin droit dans les yeux, un petit sourire errant sur les lèvres. Tout son corps, toute son apparence exprimait le dédain et, pensa Martin, un sentiment de supériorité face aux gens qu'il rencontrait.

— Eh bien, comme tu as dû l'entendre hier à table, j'ignore totalement de quoi grand-père voulait parler. Mon entreprise est florissante, nous allons bientôt être cotés en bourse, et en ce qui concerne les sources de grand-père… Je vais le dire comme ça : le vieux n'était plus dans le bain. Toutes ses prétendues sources sont des *has been* qui n'ont plus le droit de jouer, et qui s'amusent par conséquent à répandre de fausses rumeurs.

— Ton grand-père ne m'a pas fait l'impression d'être un *has been*. Plutôt l'inverse.

Bernard souffla avec morgue. Il tripota encore son pantalon avant de répondre :

— Grand-père Ruben a installé mon père et Harald à deux postes clés de son entreprise. Est-ce que ça te semble une décision saine, intelligente et professionnelle ?

Martin comprit ce qu'il voulait dire. Le vieil homme s'était peut-être égaré dans ses propos.

— J'ai l'impression qu'il y avait un rituel dans la famille Liljecrona qui consistait à aller le voir pour toutes sortes de… d'investissements financiers… Est-ce que toi aussi, tu as profité du tiroir-caisse familial ?

— Et alors ? L'argent allait tôt ou tard nous revenir en héritage. C'était quand même mieux pour le vieux de nous aider de son vivant, comme ça, on pouvait le remercier de vive voix. Et il était témoin de nos réussites…

— Combien ? demanda Martin froidement.

— Comment ça, combien ?

— Combien as-tu amené Ruben à investir dans ton entreprise ?

Bernard sembla un instant perdre contenance et il réfléchit un moment avant de répondre :

— Vingt millions.

— Vingt millions ? dit Martin incrédule, tant la somme était colossale.

— Il allait les récupérer avec les intérêts. Dès que l'introduction en bourse serait faite.

— Alors quel était le problème hier soir ? J'ai cru comprendre que ton grand-père avait certaines craintes par rapport à son investissement.

— Comme je viens de le dire, je ne sais pas de quoi il parlait ! L'introduction en bourse aura lieu dans quelques semaines et il aurait immédiatement récupéré ses vingt millions plus un gros paquet de fric en rab !

Son assurance semblait se fissurer, et Bernard passa la main dans ses cheveux gominés.

— Alors si je demande à la brigade financière d'opérer un contrôle sur ton entreprise, ils ne trouveront rien de bizarre ?

Il avait de nouveau la main dans ses cheveux gras, et Martin ressentit une grande satisfaction en voyant le regard de Bernard errer dans la pièce.

— Combien de fois est-ce que je dois le répéter ? J'ignore totalement de quoi il voulait parler, dit-il entre ses dents.

— Tu n'avais donc aucune raison de l'assassiner, c'est ça ? Et les autres ? Penses-tu qu'un membre de votre famille ait pu passer à l'acte ?

Bernard avait retrouvé son aplomb habituel. Et il répondit comme sa sœur :

— Penses-tu réellement que je te le dirais si c'était le cas ?

Martin comprit qu'il n'en obtiendrait pas davantage.

— Bon, on s'arrête là. Pour l'instant. Peux-tu demander à Mattias de venir ?

— Personne ne l'appelle Mattias. On dit Matte. Mais pas de problème, je vais dire à mon cher cousin de venir.

Irrité, Martin observa Bernard qui marchait nonchalamment vers la porte. Cet homme avait quelque chose qui lui tapait sur le système.

— Tu voulais me voir.

Matte apparut timidement dans l'embrasure de la porte. Martin vit que ses yeux étaient rouges et comprit qu'il avait versé d'autres larmes depuis la veille.

— Entre, dit-il gentiment en montrant la chaise devant le bureau.

— Pour une première rencontre avec la famille, tu es servi…

— Oui, je pense que ça va être un record difficile à battre, rit Martin avant de poursuivre sur un ton plus sérieux : Comment te sens-tu ?

— Je n'arrive pas à me faire à l'idée que grand-père n'est plus là, dit Matte en secouant la tête. Et que personne ne semble s'en émouvoir.

— Je vois ce que tu veux dire. Tu es le seul que j'aie vu pleurer Ruben Liljecrona. J'imagine que vous étiez très proches, ton grand-père et toi ?

— On avait notre rituel. Une fois par semaine, le vendredi après-midi, je prenais le thé chez lui. On parlait de tout et de rien. Grand-père était une des personnes les plus intelligentes que j'aie jamais rencontrées, un homme très cultivé et très large d'esprit. C'était un vrai privilège de l'avoir dans ma vie.

— On ne dirait pas que les autres membres de la famille soient de ton avis.

— Ils avaient des dollars plein les yeux dès qu'il était question de grand-père, souffla Matte avec dédain. Même papa. Tout ce qu'ils voulaient, c'était lui extorquer le plus de fric possible. Ça n'intéressait personne de savoir qui il était réellement.

— Et cette histoire d'appartement dont parlait Bernard…

— C'était un arrangement entre grand-père et moi, dit Matte avec un soupir de lassitude. Je pouvais occuper un de ses appartements le temps de mes études. Il ne me l'avait pas donné, je payais un loyer.

Martin observa un petit silence avant de demander à voix basse :

— Est-ce que tu as des soupçons envers quelqu'un ?

Matte ne réagit pas tout de suite à la question, puis il secoua la tête :

— Non, aucun.

Martin eut l'impression qu'il voulait dire autre chose, et il redemanda en le fixant des yeux :

— Tu es sûr ? Tu ne soupçonnes personne d'avoir voulu tuer ton grand-père ?

— Non, personne, dit Matte, plus fermement cette fois. Bien sûr, tout le monde tirait profit de lui, mais de là à vouloir le tuer… Non, je n'imagine personne faire ça.

— Alors ça sera tout pour le moment.

— Tu n'as pas d'autres questions ? Mais il doit y avoir beaucoup plus à…

— Oui, bien sûr, j'ai encore des choses à demander, à vous tous d'ailleurs, avant de tirer ça au clair. Mais pour l'instant, j'ai besoin de me faire une idée globale de la situation. Je reviendrai vers toi.

Matte se leva, mais il ne quitta pas la pièce. Il s'immobilisa un instant devant la porte, il paraissait sur le point de parler mais il se retourna et partit.

Martin aurait bien aimé savoir à quelles questions il avait fait allusion.

Matte avait les jambes en coton en sortant du bureau. Quelque chose dans le regard de ce policier rouquin semblait le mettre à nu. Avait-il démasqué l'imposteur qu'il était ? Il sentit une panique familière s'installer au creux de son ventre. Celle qui se signalait toujours par un petit grondement pour ensuite s'intensifier tel un ouragan s'il ne l'arrêtait pas. Plus jeune, il n'avait pas eu d'autre choix que de subir cette vague de panique lorsqu'elle montait en lui jusqu'à presque l'étouffer. Aujourd'hui, il savait comment la gérer. Il possédait les outils, comme aurait dit son psy. Si bien qu'il fit quelques pas jusqu'au mur, s'y adossa et se laissa glisser en position assise. Il appuya son front contre ses genoux et ferma les yeux. Il devait seulement se focaliser sur un point fixe au centre de tout ce noir. Le point qu'il faisait grandir l'aidait à se concentrer sur son souffle. Inspirer, expirer. Inspirer, expirer. Calmement, jusqu'à ce que sa respiration ne menace plus de l'emporter.

L'obscurité derrière ses paupières fermées l'apaisa. Aujourd'hui, il avait de la compagnie dans le noir. Quelque part au milieu du point qui grossissait, il vit son grand-père. Ruben lui fit un signe de la main. Un clin d'œil. Il lui montrait que tout allait bien, que tout était parfaitement en ordre.

Après un moment, il put se relever. La crise était passée pour cette fois.

— Quand est-ce que vous pensez qu'on pourra partir d'ici ? demanda Vivi alors que sa lèvre inférieure se mit à trembler.

— On l'a déjà dit, il faut attendre que la tempête se calme.

Martin entendit l'impatience dans sa propre voix. Etait-ce si difficile que cela à comprendre ? On ne pouvait pas songer à faire la traversée pour le moment. Puis il fut pris de remords. La femme devant lui semblait sur le point de s'effondrer, et il n'avait pas besoin d'empirer les choses en étant désagréable.

— Vous allez voir, le temps finira par s'améliorer, dit-il gentiment en lui tendant un mouchoir qu'elle prit avec reconnaissance, puis il poursuivit : Je comprends que tout ça soit très pénible pour vous tous.

— Oui, sanglota Vivi en se tamponnant les yeux. Ça commence à faire trop pour moi. J'ai les nerfs fragiles, vous comprenez.

Martin hocha la tête en signe de sympathie.

— Je vous promets d'y aller en douceur. Mais il nous faut absolument tirer cette affaire au clair.

— Oui, oui, je sais, sanglota Vivi.

Elle s'essuya encore une fois les yeux en noircissant son mouchoir de mascara.

— Etiez-vous au courant des... agissements de votre mari ? demanda Martin.

Vivi sanglota de plus belle, et sa main partit nerveusement vers son cou.

— Non, absolument pas... Qu'il ait pu... Non, j'ignorais tout.

Sa voix se brisa et elle sembla abandonner la lutte avec la bonne tenue de son maquillage. Deux traînées noires coulaient désormais sur ses joues. Elle serra le mouchoir dans ses mains. Martin l'observa avec attention. Il la trouva plutôt crédible et décida d'abandonner cette partie-là de l'interrogatoire pour aborder un autre sujet.

— Quelle était votre relation avec Ruben ?

Les sanglots s'atténuèrent et elle avala sa salive avant de répondre :

— Nous... Eh bien, je dirais plutôt que nous n'avions pas de relation du tout. Ruben ne m'a jamais tenue en très haute estime, il m'a toujours plus ou moins ignorée. Et il me rendait toujours nerveuse.

— Nerveuse ?

— Oui, nerveuse. C'était un homme avec une aura immense. Gustav était toujours stressé par la présence de Ruben, il avait tellement envie d'être à la hauteur, et je suppose que ça déteignait sur moi.

— D'après vous, qui aurait pu avoir une raison de tuer votre beau-père ?

La main de Vivi repartit vers son cou.

— Je ne vois absolument personne vouloir faire une telle chose. C'est inimaginable. Totalement inimaginable !

— Mais suffisamment imaginable pour que quelqu'un soit passé à l'acte, dit doucement Martin en inclinant la tête sur le côté.

Vivi ne répondit pas, elle se trémoussait sur sa chaise et était manifestement inquiète. Soit elle ne voulait pas répondre à la question, soit elle ne le pouvait pas.

Martin respira profondément avant de poser la question suivante, mais un bruit de l'autre côté de la porte l'arrêta dans son élan, et tous les deux tournèrent la tête. Des éclats de voix et le bruit de meubles qu'on déplace leur parvinrent depuis la bibliothèque. Martin se releva rapidement et s'y précipita.

Matte et Bernard se faisaient face, Matte avec le net avantage d'avoir acculé son cousin contre le mur et de tenir sa chemise d'une main ferme. Il hurlait et postillonnait, et Bernard n'osait manifestement pas lever les mains pour s'essuyer le visage.

— Ta gueule, espèce de salaud ! Tu m'entends ? Ta gueule !

Matte était rouge de colère, et à chaque mot, il poussait davantage Bernard contre le mur.

— Bernard ne voulait pas..., hasarda platement Gustav. Son regard allait et venait entre son fils et son neveu.

— Gustav, qu'est-ce qui se passe ? s'écria Vivi qui avait emboîté le pas à Martin.

— Ton fils s'est mis à lancer des accusations contre le mien, dit Britten d'une voix glaciale à sa belle-sœur, puis en s'adressant à Matte d'une voix nettement plus douce : je t'en prie, Matte, arrête maintenant. Lâche-le. Ne prête pas attention à ce qu'il dit. C'est un crétin, et tu le sais.

— Tu traites mon fils de crétin ? s'interposa Gustav en bombant le torse alors qu'il la fustigeait du regard.

— Tu as très bien entendu ce que j'ai dit, Gustav. Ton fils est un crétin de première, ce n'est un secret pour personne !

— Tu peux parler, toi, avec ton névrosé de fils ! Si Ruben n'était pas intervenu, il serait probablement encore interné ! Et je commence à me dire que ça aurait été mieux pour tout le monde !

Gustav et Britten se faisaient face comme deux coqs de combat. A côté d'eux, Matte tenait toujours Bernard d'une main de fer et semblait ne pas se rendre compte de ce qui se passait autour de lui. Les autres membres de la famille étaient comme pétrifiés.

Martin comprit qu'il devait agir. De sa voix la plus autoritaire il dit :

— Maintenant on se calme !

En une seule enjambée il fut devant Matte et l'obligea à lâcher Bernard, ce qui fut étonnamment facile. Matte sembla se vider comme une baudruche à l'instant même où Martin le prit par le bras, et il s'écroula dans le fauteuil le plus proche.

Bernard se frotta la poitrine avec la main. Sa chemise était froissée et il allait sûrement avoir un beau bleu. Sans avoir entendu l'origine de la dispute, Martin avait cru comprendre que Bernard méritait la correction qu'il venait de subir.

— Maintenant tout le monde se calme, dit-il.

— Il faudrait l'enfermer avec les fous, celui-là ! Espèce de malade ! cracha Bernard en fusillant Matte du regard.

Mais le frère de Lisette ne prêtait plus attention à lui. Il était prostré dans son fauteuil, la tête entre les mains, fixant le vide devant lui.

Britten fit les quelques pas qui les séparaient et tomba à genoux. Elle passa lentement la main dans le dos de son fils tout en lui parlant doucement pour le calmer.

— Putain, il est complètement cinglé ! maugréa Bernard en tirant sur sa cravate pour la remettre droit.

— Tu te calmes maintenant.

Gustav fit signe à son fils de s'écarter un peu. Bernard obéit, tout en continuant à foudroyer Matte du regard.

— Je sais que les circonstances sont terriblement stressantes pour tout le monde, dit Martin, mais il faut que chacun fasse un effort et accepte la situation. On pourra sûrement rejoindre Fjällbacka bientôt, et en attendant je vous conseille de garder votre sang-froid.

Il regarda longuement les deux belligérants et répéta :

— Tout le monde se tient tranquille. C'est compris ?

Bernard hocha la tête à contrecœur, mais Matte ne sembla pas entendre ce qui se disait. Subitement il se leva, se rua vers l'escalier et monta dans sa chambre. Britten voulut le suivre, mais Harald l'arrêta en posant une main sur son bras.

— Laisse-le partir. Il a besoin qu'on lui fiche la paix.

— Ça, c'est Matte tout craché ! lança Lisette à l'autre bout de la pièce. Il faut toujours qu'il fasse une scène.

— Lisette, tu devrais plutôt être solidaire de ton frère ! Tu as entendu ce que ton cher cousin lui a dit ! C'est normal qu'il réagisse, protesta Britten.

— Mais Bernard a raison. Matte est bon à enfermer.

Lisette parlait sur un ton geignard, et Martin la trouva de moins en moins attirante à chaque minute qui passait.

— Lisette !

La voix de Britten vint interrompre tout autre commentaire de la part de sa fille. Martin en profita pour répéter fermement à l'adresse de sa copine :

— On se calme, je viens de le dire. Ça ne sert à rien de se disputer. Et c'est valable pour vous tous, jusqu'à ce qu'on puisse retourner sur le continent.

Le regard que lui jeta Lisette lui fit comprendre qu'il ne devrait pas compter sur son amour pendant quelque temps. Tant mieux. Une fois parti d'ici, il ne la reverrait plus jamais.

Martin leur tourna le dos et se dirigea vers la cuisine pour se faire un café. Il en avait par-dessus la tête de la famille Liljecrona.

Lisette contempla le dos de Martin quand il sortit de la pièce. Elle bouillonnait intérieurement. Quel culot de la corriger comme il l'avait fait ! Pareil pour sa mère, d'ailleurs ! Ses parents avaient toujours chouchouté

Matte comme un bébé. Toute leur attention avait toujours été pour lui – à ses dépens. "Matte a besoin qu'on l'aide un peu, alors que toi, tu t'en sors tellement bien toute seule…" Ils avaient toujours donné la priorité à son frère. A Matte avec ses peurs et ses hésitations. Pendant sa première année à l'université, quand il avait explosé en plein vol, elle aurait tout aussi bien pu être invisible. Il n'y en avait eu que pour "ce pauvre Matte" qui n'avait pas supporté la pression et qui devait maintenant "se refaire une santé". Même grand-père Ruben s'était inquiété. Matte avait toujours été la prunelle de ses yeux. C'était vraiment injuste.

Elle échangea un regard avec Bernard qui se tenait de l'autre côté de la pièce. Il était le seul à comprendre. Ils avaient passé plus d'une soirée ensemble, à ressasser les manquements de leurs pères respectifs en buvant du vin, parfois un peu trop. A quelques reprises, ils s'étaient carrément retrouvés dans le même lit. Mais ce n'était pas une chose à crier sur tous les toits, ils étaient tout de même cousins. C'était dommage d'ailleurs. Lisette avait toujours trouvé qu'ils étaient comme faits l'un pour l'autre. Bernard était un homme, un vrai. En comparaison, Martin était d'une banalité consternante. Et rien que l'idée qu'il puisse se satisfaire d'un salaire de policier la faisait rire. C'était moins que ce que son père lui donnait comme argent de poche.

Elle se réjouit en pensant au petit tête-à-tête qu'ils avaient eu, Bernard et elle. Plus tôt dans la journée, ils avaient réussi à se ménager un instant en catimini. Mais il s'en était fallu de peu que Martin ne les surprenne.

— Lisette, j'aurais vraiment aimé que tu fasses plus attention à Matte.

Britten fut subitement à ses côtés, et Lisette sursauta, puis elle se secoua le bras pour se débarrasser de la main de sa mère.

— Matte, Matte, Matte. Je ne supporte plus d'entendre parler de lui tout le temps. Pourquoi faut-il toujours que tu le défendes ? Tu n'as pas vu comment il a sauté sur ce pauvre Bernard ?

— Ce pauvre Bernard, répéta Britten avec dédain. Il serait temps que tu ouvres les yeux sur la vraie personnalité de ton cousin. Tu n'as pas entendu ce qu'il a dit à Matte ? Ce n'est pas que je défende mon fils, on ne résout rien par la violence, mais je peux comprendre sa réaction, c'était vraiment déplacé…

— Déplacé ? Et tu ne trouves pas que c'est déplacé d'essayer d'étrangler Bernard ?

La voix de Lisette monta vers le plafond et tous les regards se tournèrent vers elle et Britten.

— Ça suffit, on arrête maintenant ! Baissez le ton, s'il vous plaît, dit Harald.

Sa voix était suppliante et Lisette se réjouit de le voir aussi mal à l'aise. Son père avait toujours été un lâche qui craignait les conflits. C'est Britten qui s'était chargée de toutes les discussions orageuses avec Matte et elle, tandis que Harald se tenait à l'écart. Lisette regarda son père, dont les yeux erraient dans le vague. Comme elle le méprisait ! Comme elle méprisait toute sa famille ! Sa seule consolation avait été de savoir qu'un jour elle hériterait de l'argent de grand-père Ruben. De savoir qu'elle leur ferait un doigt d'honneur à tous et vivrait une vie de patachon sur la Côte d'Azur pour jouir de chaque jour comme s'il était le dernier. Qu'elle laisserait tomber ses foutues études et ne ferait que… vivre !

Elle posa un regard froid sur Harald et Britten. Puis elle tourna les talons et partit, avec une seule idée en tête. Pouvoir bientôt quitter cet endroit.

Börje et Kerstin étaient plongés dans la préparation du déjeuner lorsque Martin entra dans la cuisine.

— Est-ce que je peux prendre du café ? demanda-t-il en hochant la tête en direction de la cafetière électrique.

— Bien sûr, servez-vous, dit Kerstin, qui coupait du pain.

Martin en versa dans une tasse, puis il s'appuya contre le montant de la porte et regarda par la fenêtre. La tempête sévissait toujours.

— Ça ne rigole pas dehors, dit Börje.

— C'est le moins qu'on puisse dire.

Martin trempa ses lèvres dans le café brûlant et le reposa pour le laisser refroidir un peu.

— Martin… ? commença Kerstin. Euh… on se demandait si vous pouviez sortir le rôti de la chambre froide ? Pour qu'il ait le temps de décongeler d'ici à ce soir.

Martin ne comprit pas tout de suite pourquoi ils tenaient à ce que ce soit lui qui le fasse. Soudain, l'évidence le frappa. Le corps de Ruben s'y trouvait.

— Bien sûr. Aucun problème.

Kerstin et Börje eurent l'air soulagé.

Malgré son ton guilleret, Martin hésita un instant avant d'ouvrir la porte. Ses hôtes devaient penser qu'en tant que policier, il avait l'habitude de voir des cadavres. C'était peut-être le cas dans les grandes villes. Pour sa part, il n'avait vu des morts qu'en deux occasions – une personne qui avait perdu la vie dans un accident de la route près de Tanumshede, et un touriste fin soûl qui s'était noyé.

Il entra dans la chambre froide. Ruben était toujours là. Martin s'étonna de ne pas se sentir plus mal à l'aise. La pièce paraissait paisible.

Le vieil homme était allongé sur la table qu'ils y avaient apportée. Moins de vingt-quatre heures s'étaient écoulées depuis le dîner dramatique, mais l'atmosphère oppressante qui régnait dans la maison donnait l'impression qu'ils y étaient enfermés depuis des semaines, des mois, une éternité.

Martin contourna lentement la table sur laquelle était étendu le corps pour s'approcher du congélateur. Il lui sembla apercevoir un mouvement du coin de l'œil mais il réalisa aussitôt que ce n'était que son imagination. Ruben était parfaitement immobile.

Le couvercle du congélateur ne bougeait pas, il fut obligé d'utiliser toutes ses forces pour l'ouvrir. Un souffle froid l'atteignit au visage et il recula instinctivement. Le rosbif était sur le dessus. Il était soigneusement emballé et portait une étiquette à l'écriture féminine. Le grand paquet était si froid qu'il lui brûla les mains, et il se dépêcha de sortir. Bien qu'il n'ait pas ressenti la présence du mort comme désagréable, il éprouva un certain soulagement lorsque la porte se referma derrière lui.

— Ça a été ? demanda Kerstin, et à son intonation, on aurait pu croire qu'il revenait d'une expédition au pôle Nord et non qu'il était allé chercher de la viande dans un congélateur.

— Oui, très bien.

Il posa le rôti surgelé et se frotta les mains pour réactiver la circulation du sang.

— Qu'est-ce que vous en pensez ? Vous obtenez des résultats ? demanda Börje en désignant la chambre froide de la tête.

Le découragement l'envahissait, mais Martin ne pouvait dire que ce qu'il en était.

— Non, pas vraiment. Personne n'a rien vu. Personne ne sait rien. Personne n'a de mobile. Pourtant ils sont comme chiens et chats, tous autant qu'ils sont.

— J'ai compris que c'était la première fois que vous les rencontriez, dit Börje avec un petit sourire. En matière d'introduction, c'est foutrement réussi !

Kerstin poussa son mari du coude.

— Mais Börje, en voilà une façon de parler !

— Ça ne fait rien, dit Martin en riant. Et vous avez raison, c'est foutrement réussi !

Tous les trois rirent et Martin sentit la tension se relâcher dans sa poitrine.

La haine continuait à bouillonner en lui. Il avait été obligé de partir. Autrement, elle aurait pris le dessus, l'aurait vaincu et fait faire des choses qu'il aurait regrettées. Assis dos à la porte dans sa chambre, Matte serra les mains, rythmiquement. Il ne se sentait rassuré qu'en maintenant sa porte fermée à clé, qu'en étant seul. Les autres représentaient un danger et un risque. Ils avaient beau avoir les meilleures intentions du monde, ils pouvaient être pleins d'amour même, mais en réalité ils étaient dangereux et perfides. La seule personne avec qui il se sentait en sécurité était son grand-père. En sa compagnie, il pouvait se détendre et se laisser aller. Il avait pu lui parler de toutes les pensées qui fusaient en tout sens dans son esprit et qui, inlassablement, semblaient guetter un moment de relâchement. A la moindre occasion, elles s'immisçaient en lui. Grand-père l'avait compris et n'avait jamais rien remis en doute. Il n'avait jamais pesté contre lui comme papa, ni pleuré comme maman, ne l'avait jamais méprisé comme Lisette. Il ne s'était jamais moqué de lui comme Bernard.

Les autres ne comprenaient pas pourquoi il nourrissait une haine irrationnelle à l'égard de Bernard. Matte avait pourtant tenté de se maîtriser, de faire fi de ses souvenirs. De se comporter correctement, comme ils désiraient qu'il le fasse. Mais les souvenirs étaient toujours là. Ils ressurgissaient lorsqu'il ne se tenait pas sur ses gardes. Bernard et lui avaient fréquenté la même école, dans des classes différentes mais du même niveau. Durant toute leur scolarité, Bernard avait fait de lui son souffre-douleur, et les autres élèves suivaient le meneur qu'il était. Ils le frappaient et le ridiculisaient sans relâche. Encore et encore. Toujours avec ce sourire narquois. Toujours à la recherche de nouveaux stratagèmes pour briser son existence. Avec l'âge, les choses s'étaient améliorées. Ils n'étaient pas allés dans le même lycée, et Bernard s'était sans doute lassé et avait trouvé d'autres exutoires pour son énergie perverse. Mais lorsqu'ils se croisaient, il affichait le même sourire comme pour dire qu'il voyait clair en lui et qu'il savait exactement sur quels boutons appuyer pour le briser.

C'était la seule chose qu'il n'avait jamais racontée à grand-père. Il se doutait bien que Ruben voyait Bernard tel qu'il était, mais qu'il gardait espoir en lui. Et Matte ne voulait pas lui ôter cette confiance. C'est pourquoi il conservait le silence lorsque Ruben parlait de Bernard. Il ne lui répondait pas lorsqu'il lui disait : "Il va s'assagir, lui comme tout le monde, quand il aura fini de jouer. De toute façon, ça ne part pas d'une mauvaise intention." Dans ces moments-là, Matte scrutait attentivement son grand-père. Croyait-il ce qu'il disait ? Ne voyait-il vraiment pas le masque dont il s'était paré et le mal qui ricanait derrière le beau sourire de Bernard ? Peut-être. Peut-être pas. Quoi qu'il en soit, Matte avait très tôt décidé de ne pas être celui qui étoufferait l'espoir que Ruben plaçait en Bernard. Le temps s'en chargerait à sa place.

Mais maintenant il était trop tard. Grand-père n'était plus là. Son seul ami au monde, le seul être avec qui il se sentait en sécurité avait disparu. Et le sourire moqueur de son cousin lui disait qu'il avait fini par gagner.

Le tonnerre retentit si fort que les carreaux des fenêtres en tremblèrent. La tempête de neige s'était désormais muée en orage ! Matte prit conscience de ce qu'il devait faire. Mais d'abord il lui fallait se reposer un moment. Il s'allongea sur le lit et ferma les yeux. Et après quelques secondes seulement, il dormait.

— Eh bien, ça, c'est ce que j'appelle un drame familial, dit Gustav.

Il était confortablement installé avec sa femme et ses enfants dans les canapés et fauteuils blancs de la bibliothèque. Un fumet appétissant leur parvenait depuis la cuisine et l'estomac de Gustav se mit à gronder bruyamment.

— Mmm, j'ai faim, dit-il avec un enjouement feint avant de boire une goulée de cognac.

Avec les événements du week-end, toutes les règles de convenance étaient négligées, et le cognac généreusement servi.

Personne ne répondit à sa tentative de lancer la conversation. Bernard se frotta la peau du cou en marmonnant :

— Merde alors, je suis sûr que je vais avoir un putain de bleu. Va falloir expliquer ça au boulot en plus. Je pars pour une réunion de famille et je reviens avec une marque de strangulation…

— Matte a toujours été instable. Je ne comprends pas qu'ils ne se soient pas occupés de ça plus sérieusement. C'est un véritable danger pour son entourage, dit Gustav en secouant la tête alors qu'il faisait tourner le liquide ambré dans son verre.

— Vous pensez que… ? Miranda s'arrêta net puis poursuivit : Vous pensez que ça peut être Matte qui…

Elle ne termina pas sa phrase, il n'en fallait pas plus. Une lueur s'alluma dans les yeux des membres de sa famille.

— Mais bien sûr, putain ! s'exclama Bernard, qui semblait considérablement ragaillardi. Il se redressa sur le canapé et poursuivit d'un ton excité : Mais bien sûr que c'est Matte ! Il y a toujours eu quelque chose qui ne tournait pas rond chez lui. Et vous avez vu comment il m'a agressé.

— Mais… Ruben et lui étaient tellement proches, protesta Vivi.

Son objection fut balayée par Gustav qui avait, lui aussi, un éclat fiévreux dans les yeux.

— Justement ! Ça rend la chose d'autant plus plausible. Qui sait comment son cerveau malade a perçu les choses ? Le plus souvent, les victimes sont tuées par un membre de leur famille, non ?

Bernard et Gustav hochèrent la tête en signe d'assentiment. Miranda avait toujours l'air un peu hésitante. Elle ne paraissait pas aussi convaincue, bien qu'elle ait lancé la piste la première.

— Mais…, dit-elle en cherchant des yeux un peu de soutien auprès de sa mère avant de poursuivre. Quel serait son mobile ?

— L'argent, la vengeance, des griefs imaginaires – tu choisis, souffla Bernard.

— Je ne sais pas, vraiment, dit Miranda en tripotant un des coussins du canapé. Je ne sais pas…

— Mais moi, je sais, dit Bernard en se levant. Je m'en vais de ce pas dire un mot au flic de Lisette pour qu'il ait une image plus nette de tout ça. Et ça ne m'étonnerait pas qu'il trouve la piste franchement prometteuse.

— Mais…

Miranda semblait avoir autre chose à dire, mais Bernard était déjà en train de quitter la pièce.

Soudain elle s'en voulut de ne pas avoir su tenir sa langue. En fait, elle aimait bien Matte. Et il n'était pas dérangé à ce point-là. Bon sang, une personne sur deux dans son entourage avait déjà fait une dépression. S'empiffrer de Prozac et autres pilules roses était presque légitime, et définitivement pas quelque chose que l'on gardait secret. Au contraire. Il ne fallait pas s'étonner non plus que Matte s'en soit pris à Bernard. Elle adorait son frère, mais il pouvait être assez provocateur. Il avait le don étrange de deviner quels étaient les points faibles des gens, et il en usait avec une sorte de jouissance malsaine.

— Et Harald et Britten, qu'est-ce qu'ils vont dire s'ils apprennent que Bernard traite leur fils d'assassin ? dit Vivi d'un ton inquiet en s'agitant nerveusement sur le canapé.

— Ils sont libres de dire ce qu'ils veulent, je m'en fous, dit Gustav qui tournait encore son verre à cognac. Matte est instable et de toute évidence agressif, alors ce n'est pas absurde de le considérer comme le candidat le plus probable.

— Mais un assassin…, dit Vivi avec un regard suppliant à Miranda.

— Je dois donner raison à maman. Je sais que c'est moi qui ai lancé l'idée, mais… non, je ne vois pas Matte en assassin sanguinaire… ça ne colle pas.

Miranda fut surprise de s'entendre dire cela. Elle n'était pas souvent d'accord avec sa mère, et pour une fois, elles semblaient être du même côté.

— Bah, les bonnes femmes, dit Gustav avant de boire une grande lampée d'alcool. Vous êtes toujours tellement confiantes. Vous les voyez comment, les assassins ? Comme des monstres sauvages avec une grosse barbe et des tatouages partout ? Pour ma part, je crois Matte tout à fait capable de tuer quelqu'un.

Satisfait, il s'enfonça dans son fauteuil avec l'air de penser qu'il avait eu le dernier mot.

Miranda et Vivi échangèrent un regard de connivence. Ceci ne présageait rien de bon. Au contraire.

— Tu penses qu'on s'y est mal pris ? dit Britten à voix basse.

Harald et elle s'étaient réfugiés dans la salle à manger pour s'isoler un moment. Matte et Lisette avaient chacun foncé dans leur chambre, Gustav et sa famille étaient dans la bibliothèque, certainement en train de se gargariser de l'agitation, et du coin de l'œil elle vit Martin Molin dans la cuisine, qui parlait avec les propriétaires des lieux. Harald était assis en face d'elle. Son visage avait pris une teinte cendrée qui l'inquiéta aussitôt.

— Tu vas bien ? demanda-t-elle en posant une main sur celle de son mari.

— Ne t'inquiète pas, répondit-il avec un sourire forcé.

— Tu sais que je m'inquiète quoi que tu dises.

— Oui, je sais.

Harald déplaça sa main afin de pouvoir tapoter celle de Britten en un geste qui se voulut rassurant. Vaine tentative.

— Je vous apporte du café. Vous n'avez qu'à vous servir.

Kerstin posa un plateau avec un Thermos et des tasses sur la table le long du mur, avant de disparaître dans la cuisine.

— Tu en veux ? demanda Britten.

Harald hocha la tête en guise de réponse, et elle se leva pour servir deux cafés, noir pour elle, au lait avec deux morceaux de sucre pour Harald. Depuis toujours, elle lui disait de ne pas mettre de sucre dans son café, mais elle avait fini par comprendre que c'était un combat désespéré.

— Tu n'as pas oublié le sucre ?

— Non, mon chéri, je n'ai pas oublié le sucre, dit Britten qui sourit en songeant à leur complicité.

Elle but quelques gorgées avant de répéter sa question :

— Tu penses qu'on s'y est mal pris ?

— Pour Matte, tu veux dire ?

— Pour Matte et pour Lisette. Elle a raison, tu sais. On l'a négligée. Matte a eu droit à toute notre attention, alors qu'on lui disait sans arrêt qu'il fallait être gentille et nous aider, qu'elle était une grande fille et qu'elle se débrouillerait toujours. Mais elle ne s'est pas débrouillée… Toujours pas.

— Qu'est-ce qu'on aurait dû faire alors ? dit Harald d'une voix lasse en passant une main sur son visage. Matte était exigeant. On a fait ce qu'on a pu.

— Tu crois qu'on a fait ce qu'on a pu ? répliqua Britten alors que ses yeux s'emplissaient de larmes. Vraiment ? N'aurait-on pas pu faire un peu plus d'efforts ? Pour essayer d'être là pour tous les deux ? Pour donner à Lisette le temps et l'attention qu'elle méritait. Maintenant j'ai peur qu'il ne soit trop tard.

Une larme coula sur sa joue. Harald fixa sa tasse de café, puis il secoua la tête.

— J'aurais peut-être pu essayer de moins travailler…, dit-il.

Britten réalisa que c'était la première fois qu'il évoquait une telle éventualité. Elle le lui avait dit tant de fois, parfois en le suppliant, parfois avec colère. Mais à présent qu'il le formulait, elle comprit que cela n'aurait jamais fonctionné. Harald n'était peut-être pas d'une compétence hors du commun, c'était un fait qu'elle avait découvert depuis belle lurette, mais il adorait travailler, et travailler dur. Il ne savait rien faire d'autre, et il n'aurait pas aimé faire autre chose. Si bien qu'il avait peut-être raison. Ils avaient peut-être fait de leur mieux, avec les moyens qui étaient les leurs.

— Qu'est-ce qu'on fait maintenant ? demanda-t-elle en posant de nouveau sa main sur la sienne.

— On leur fiche la paix un petit moment. Ensuite, quand on sera parti d'ici, on trouvera une solution. Il y a forcément une solution.

Ils finirent leur café en silence. Il n'y avait pas grand-chose à ajouter.

Martin fit un bond lorsque le tonnerre se remit à gronder. Il avait toujours eu peur des orages. C'était gênant pour un homme adulte, mais cette fureur soudaine qui inondait tout de sa lumière crue avait quelque chose de sinistre. Et cette attente… celle du tonnerre qu'on savait imminent. Lorsqu'un éclair illumina à nouveau la cuisine, il compta les secondes en silence. Un, deux, trois…

— Boum.

Martin sursauta. Bernard surgit derrière lui avec ce sourire désagréable dont il avait le secret.

— Pardon, je t'ai fait peur ?

— Non, pas du tout, minimisa Martin.

— C'est quand le déjeuner ? demanda Bernard à Kerstin et Börje. A son ton, on aurait pu croire qu'il les considérait comme ses domestiques.

— Dans une demi-heure, répondit Kerstin avant de se retourner pour continuer la préparation du repas.

— Parfait, comme ça, on a le temps de parler.

Bernard fit un signe de tête à Martin, qui suivit à contrecœur l'homme grand et brun. Il eut beau trouver Bernard fort antipathique, il était obligé de reconnaître qu'il possédait une bonne dose d'autorité. Il semblait difficile de ne pas suivre Bernard Liljecrona.

— De quoi veux-tu me parler ? demanda Martin qui tentait de reprendre les rênes.

Bernard jeta un regard vers Harald et Britten installés plus loin dans la salle à manger, et il ne répondit pas. A grandes enjambées, il se dirigea vers le petit cabinet de travail, et un instant Martin crut qu'il allait s'asseoir derrière le bureau et commencer à l'interroger. Mais Bernard choisit la chaise devant le bureau et posa un regard impérieux sur Martin.

La curiosité de Martin s'éveilla malgré lui. Il s'assit à son tour et leva les sourcils pour signaler à Bernard d'en venir au fait.

— Tu as vu ce qui s'est passé tout à l'heure, dit Bernard d'une voix sèche et neutre.

— Tu veux dire votre… différend, à toi et Matte ?

Même s'il s'en doutait déjà un peu, Martin se demandait quelle tournure allait prendre cette conversation.

— Oui. Tu as vu que Matte m'a attaqué, sans la moindre provocation de ma part.

Martin n'en était nullement convaincu, mais il attendit la suite sans faire de commentaire.

— Bon, donc, ce n'est pas nouveau. Matte a certains… problèmes. Harald et Britten ont fait de leur mieux pour garder ça sous contrôle, et le cacher – et Ruben aussi, tant qu'on y est. Mais la vérité est que Matte a le cerveau détraqué, il a déjà fait quelques séjours en psy. Et… si je devais chercher l'assassin le plus vraisemblable dans cette assemblée, alors…, dit-il en écartant les mains d'un geste théâtral.

Martin soupira. Il avait espéré que Bernard lui fournirait quelque chose de plus consistant. Les problèmes psychiques de Matte n'étaient pas un scoop, et ça n'aiderait pas l'enquête à progresser.

— Tu n'as rien de plus concret ? dit-il d'une voix fatiguée.

— Comment ça, de plus concret ? Il m'a attaqué ! Il a essayé de m'étrangler ! Est-ce que ça peut être plus concret que ça ? Putain, c'est une tentative d'assassinat !

— Si tu veux mon avis, appeler ça une tentative d'assassinat est un peu exagéré dans ce contexte. Et cela ne le lie en rien à la mort de Ruben, n'est-ce pas ? De plus, vous avez tous dit que Ruben et Matte étaient très proches. Dans ce cas, quel mobile aurait-il eu pour tuer son grand-père ?

Le tonnerre gronda. Bernard et Martin sursautèrent.

— Mobile, mobile, répéta Bernard. Qui peut savoir comment fonctionne un cerveau malade ? Et le fait qu'ils soient proches rend la chose plus probable, pas vrai ?

— Qu'est-ce que tu veux dire par là ? demanda Martin, sans réussir à paraître spécialement enthousiaste.

— Eh bien, l'amour se change facilement en haine. Une personne instable comme Matte peut facilement imaginer des choses, et qui sait ce qu'il a pu se mettre en tête concernant grand-père ?

— Hmm… C'est un peu trop léger, dit Martin en secouant la tête. J'ai noté ce que tu viens de me dire, mais je pense qu'il te faut me fournir des preuves plus concrètes pour me convaincre de placer Matte en tête de la liste des suspects.

— Quoi qu'il en soit, dès qu'on aura quitté cette foutue île, j'ai l'intention d'aller porter plainte, sache-le. Il ne s'attaquera pas impunément à moi, claironna Bernard en fixant Martin droit dans les yeux.

— C'est ton droit.

Martin se leva pour montrer que la conversation était terminée. Il y eut encore un coup de tonnerre, et cette fois il eut l'impression que l'orage s'était considérablement rapproché.

Le déjeuner se déroula en silence. Lisette les avait rejoints même si elle était de mauvaise humeur, tandis que Matte brillait toujours par son absence. Le repas que Kerstin et Börje avaient servi était délicieux, mais personne n'était vraiment en état de l'apprécier à sa juste valeur.

Martin se demanda quelle serait la réaction de Harald et Britten s'ils apprenaient que Bernard avait cherché à désigner leur fils comme assassin. Il n'avait cependant pas l'intention de les en informer. Il lorgna vers Lisette qui s'entêtait à regarder son assiette. Elle ne lui avait pas adressé la parole depuis qu'elle était revenue, ce qui confirma le fait qu'ils avaient dépassé le stade où les choses pouvaient encore s'arranger. Ce dont il n'avait aucune envie. Une fois qu'ils auraient quitté l'île, il se contenterait parfaitement de ne plus la revoir. En attendant, leur relation serait forcément quelque peu glaciale.

— Est-ce que l'un de vous a parlé avec Matte ? dit-il à voix basse à Harald et Britten qui étaient assis en face de Lisette et lui.

Tous deux secouèrent la tête en même temps.

— Non, finit par dire Britten en jetant un coup d'œil à Harald. On l'a laissé tranquille. En général, il se calme tout seul, pourvu qu'on lui fiche la paix.

— On devrait peut-être monter voir comment il va ? dit Harald en baissant encore d'un ton.

— Non, il vaut mieux le laisser, répondit Britten qui n'en paraissait pas totalement convaincue.

Harald n'insista pas et ils continuèrent à manger dans un silence oppressant rompu par le seul cliquetis des couverts.

Martin sentit la panique poindre en lui. Il n'avait qu'une seule envie : quitter cette maison et cette île. Il était surtout impatient d'obtenir l'aide de quelqu'un de plus expérimenté que lui pour l'enquête, quelqu'un qui saurait comment la faire progresser et qui envisagerait des possibilités que manifestement il loupait. Il ignorait qui pouvait être l'assassin du vieil homme. Il n'était absolument pas plus avisé que la veille, et en venait à douter sérieusement de ses compétences.

— Je crois que je vais aller faire une petite sieste digestive, dit Harald en tapotant son ventre volumineux.

— Oui, c'est une bonne idée, répondit Martin en étouffant un bâillement.

L'atmosphère pesante, la grande quantité de nourriture et de boissons le rendaient terriblement somnolent. Pourtant, il avait déjà dormi une heure dans la matinée.

— Je monte m'allonger un moment, dit-il à Lisette.

Elle murmura une vague réponse sans lui adresser un regard.

Un instant plus tard alors qu'il était étendu sur son lit, il entendit les portes se fermer les unes après les autres. Presque tous semblaient suivre son exemple. Les coups de tonnerre furent la dernière chose qu'il entendit avant de sombrer dans le sommeil.

Britten se réveilla avec l'impression que tout n'était pas tout à fait normal. Elle tenta de se débarrasser de son malaise. Peut-être avait-elle rêvé de quelque chose de désagréable ? Cette sensation ne s'atténuait pas. Quelque chose clochait. Elle se redressa et tendit l'oreille. Les seuls bruits qu'elle percevait étaient les ronflements de Harald allongé à côté d'elle et le tonnerre. Jamais elle n'avait vécu un orage d'une telle force. Il montrait par moments des signes d'apaisement pour revenir avec une virulence décuplée. Elle avait l'impression que c'était un coup de tonnerre qui l'avait réveillée. Cependant, elle n'en était pas sûre. Il y avait autre chose…

Elle se rallongea et ferma les yeux. Cela ne fonctionnait pas, elle était définitivement réveillée.

Harald renifla dans son sommeil et se retourna sur le côté. Une fois qu'il était endormi, aucun orage au monde ne pouvait le réveiller. Elle s'assit, fit pivoter ses jambes sur le bord du lit et posa les pieds par terre. Même à travers ses chaussettes, elle sentait que le sol était froid.

Un sentiment d'inquiétude la frappa de plein fouet lorsqu'elle pensa à Matte. Elle en eut presque des nausées. Cette inquiétude d'une mère pour son enfant ne s'atténuerait donc jamais ? Elle avait débuté à la maternité pour se poursuivre indéfiniment. Lisette ne comprenait pas que Britten se faisait autant de souci pour elle que pour Matte. Et qu'elle l'aimait autant. Seulement, l'amour qu'elle portait à sa fille ne s'était jamais exprimé aussi concrètement que celui qu'elle ressentait pour Matte. Lui avait eu besoin d'une grande sollicitude et de mesures pratiques, contrairement à sa sœur.

Britten soupira, se leva et enfila un gilet. Apparemment, elle était la seule de la maison à être réveillée. Ce calme lui parut presque funeste.

Elle se dirigea lentement vers la porte, ne sachant pas trop quoi faire. Lisette était étendue sur le canapé de la bibliothèque et Britten ne voulait pas la réveiller. Elle n'avait pas la force de s'embarquer dans une énième discussion avec elle, pas avec le malaise qu'elle ressentait dans tout son corps.

Une fois dans le couloir, elle sut où aller. Il fallait qu'elle voie Matte, qu'elle vérifie s'il dormait et lui caresse les cheveux comme lorsqu'il était petit. S'il ne dormait pas, elle lui parlerait un moment afin de s'assurer qu'il allait bien.

Elle pressa doucement la poignée de sa porte. Elle aurait peut-être dû frapper, mais elle espérait qu'il serait endormi. Britten voulait s'asseoir sur le bord de son lit et regarder son fils dormir paisiblement, retrouver dans son visage d'adulte le reflet de ceux qui s'étaient succédé au fil des ans. Matte lorsqu'il était encore bébé, Matte à cinq ans, posant plein de questions, à dix ans, curieux de tout, et aussi l'adolescent renfrogné qu'il avait été.

Elle ouvrit lentement la porte et entra. Puis vint le cri.

Vivi n'arrivait pas à dormir. Elle s'était allongée et avait fixé le plafond pendant près d'une heure. Comme à son habitude, Gustav s'était endormi instantanément. Il sombrait dans la seconde, et elle regardait le noir, heure après heure. Elle n'avait pas envie de faire une sieste, mais tous les autres avaient disparu, et il ne lui restait pas beaucoup de choix.

Quelqu'un marchait dans le couloir. Elle prit appui sur ses coudes et se redressa un peu pour écouter. Après quelques secondes, elle entendit qu'on ouvrait une porte. Le cri qui suivit ne semblait pas humain. On aurait dit celui d'un animal qui hurlait de douleur, et son cœur se mit à cogner dans sa poitrine.

— Quoi, quoi ? Qu'est-ce qui se passe, bordel ?

Gustav se redressa, il était à peine éveillé et ses yeux écarquillés balayèrent la pièce.

— Je ne sais pas.

Vivi était déjà sortie du lit. Elle enfila la robe de chambre qu'elle avait accrochée sur le montant du lit et noua la ceinture. Le cri s'intensifiait et était seulement interrompu par de longs sanglots.

Vivi ouvrit la porte et se précipita dans le couloir, suivie de près par Gustav, vêtu seulement d'un tee-shirt et d'un caleçon. Tous avaient été tirés de leur sieste et se retrouvèrent dans le couloir.

— Qu'est-ce qui se passe ? demanda Harald en les rejoignant.

Il dirigea son regard vers la chambre de Matte et réalisa que le cri venait de cette pièce. Il rejoignit la porte en une enjambée, l'ouvrit en grand puis chancela. Sa femme était assise par terre, la tête de Matte posée sur ses genoux. Elle se balançait d'avant en arrière sans arrêter de crier. Ses genoux étaient recouverts de sang, tout comme ses mains qui tenaient la tête de son fils. Un trou béant s'ouvrait dans sa poitrine. Vivi n'arrivait pas à en détacher les yeux puis devant elle dans l'encadrement de la porte, elle vit Harald qui oscillait de droite à gauche, muet, en état de choc. Vivi se mit à haleter en posant son regard sur la tête de Matte. Les yeux de son neveu étaient ouverts. Il la fixait et elle crut un instant qu'il était vivant. Puis elle réalisa qu'il n'y avait personne derrière ce regard. Il était seulement le reflet de la mort, de l'absence de vie.

Harald fit quelques pas dans la pièce et tomba à genoux près de sa femme. Lui aussi sanglota, caressant maladroitement le bras de Matte comme pour s'assurer qu'il ne s'agissait que d'un mauvais rêve. Il voulut prendre Britten dans ses bras, mais elle le repoussa d'un geste vif et continua à bercer son fils tout en proférant des sons qui glaçaient le sang. Vivi frissonna. Elle ne pouvait pas admettre la réalité de la scène qui se déroulait sous ses yeux.

Quelqu'un essaya de se frayer un passage derrière elle. C'était Martin Molin.

— Que s'est-il passé ?

Lui aussi s'arrêta brusquement. Il retrouva cependant rapidement ses esprits, et s'agenouilla près du corps. Cette fois il n'eut pas besoin de prendre son pouls. Il ne faisait aucun doute que Matte n'était plus en vie.

— On lui a tiré dessus, constata-t-il.

Brusquement, tous semblèrent prendre conscience de ce que signifiait le trou dans sa poitrine. On entendait quelqu'un qui tentait de reprendre son souffle : Miranda venait d'arriver et fixait la chambre avec des yeux écarquillés.

— Est-ce que quelqu'un a entendu la détonation ? demanda Martin.

Personne ne répondit, mais quelques-uns secouèrent la tête.

— Comment est-ce possible ? s'entendit dire Vivi. Nous aurions quand même dû entendre un coup de feu ?

— L'orage, dit Miranda. Le coup de feu a été couvert par le tonnerre.

— C'est tout à fait probable, répondit Martin. Il a pu être tiré pendant un des coups de tonnerre, ils étaient vraiment assourdissants.

— Et le pistolet, où est-il ? demanda Miranda,

Vivi, qui se tenait près de Miranda, la sentait trembler. Elle s'écarta de quelques centimètres et serra sa robe de chambre contre elle. Les battements de son cœur qui résonnaient dans tout son corps semblaient être rythmés par le poids de son secret, et elle évita de poser les yeux sur sa fille.

Martin inspecta la pièce. Il souleva le couvre-lit et regarda sous le lit, mais ne vit rien de particulier. Il se dressa et examina le foyer de la cheminée qui ne contenait que quelques bûchettes carbonisées. L'arme du crime n'était pas ici.

— L'assassin l'a sûrement emportée, finit-il par dire. En tout cas, il n'est pas dans la pièce. Je vais vous demander de rester dans le couloir.

Tous ceux qui se tenaient dans l'ouverture de la porte firent un pas en arrière. Harald et Britten restèrent où ils étaient. Britten poussait à présent de longs gémissements qui étaient presque plus déchirants que ses cris.

Martin s'accroupit à ses côtés et lui parla calmement et distinctement comme à une enfant :

— J'ai besoin de voir ce qui s'est passé ici. Est-ce que vous pouvez me laisser avec Matte un tout petit moment ?

Il posa sa main sur son épaule et elle n'essaya pas de la retirer. Martin attendit qu'elle se décide, pendant qu'elle continuait à bercer son fils sur ses genoux. Elle s'arrêta enfin, reposa doucement sa tête sur le sol et se leva. Elle chancela et faillit tomber, mais Harald la rattrapa. Après avoir jeté un coup d'œil à Martin, il mit son bras autour de sa femme et l'entraîna hors de la pièce.

— Voilà, ma chérie. On va laisser Martin faire son boulot maintenant. Là. Là.

Les membres de la famille qui étaient restés dans le couloir s'écartèrent pour les laisser passer. Harald ne les regarda pas quand il emmena Britten en bas de l'escalier. Tous demeurèrent figés sur place un instant avant de réagir et de les suivre. L'image des mains ensanglantées de Britten s'attarda sur leurs rétines.

Une fois seul, Martin inspecta la chambre plus en détail. Il savait qu'en temps normal, il aurait pratiquement été lynché par ses collègues en piétinant ainsi une scène de crime. Mais à circonstances extraordinaires, mesures extraordinaires. Il n'avait pas d'autre choix que de chercher lui-même les indices qui pouvaient s'y trouver.

Pour commencer, il se mit à quatre pattes et progressa sur le sol centimètre par centimètre en cherchant des yeux n'importe quel élément qui pourrait éveiller son intérêt. Le plancher était impeccable. Il souleva de nouveau le couvre-lit, mais sous le lit le sol était tout aussi propre. Matte était apparemment une personne très ordonnée. Deux paires de chaussures étaient consciencieusement posées près de la porte, et tous ses vêtements étaient rangés dans l'armoire.

Il pivota de cent quatre-vingts degrés et entreprit la même inspection minutieuse de l'autre côté de la chambre en maintenant son visage près du sol pour repérer la moindre particule. Là non plus, il ne trouva rien d'intéressant, mais en déplaçant le regard un peu sur la gauche, il vit quelque chose scintiller sous la table de nuit. Il s'en approcha et glissa la main sous le meuble.

Ses doigts se refermèrent sur un objet dur et froid. Un téléphone portable. C'était un modèle haut de gamme. Il lui semblait en avoir vu un autre quelque part dans la chambre, et il le trouva effectivement sur la table de chevet. Un modèle bon marché et beaucoup plus usé y était posé, et Martin supposa qu'il appartenait à Matte. Restait maintenant à savoir qui était le propriétaire de l'autre portable.

Il le posa à côté de celui de Matte et poursuivit ses recherches, mais l'inspection du plancher ne livra aucun autre indice, et il se concentra sur le corps. Un petit frisson le parcourut lorsqu'il le toucha. Ce séjour s'était transformé en une formation accélérée dans l'art de manipuler les cadavres. Il examina d'abord la blessure à la poitrine. Sans être un spécialiste, il put supposer que la balle avait été tirée à faible distance car la plaie était bordée de noir. Il retourna le corps et constata que la balle l'avait traversé. Il reposa doucement Matte sur le dos et se releva. Il scruta la pièce. A en juger par la position du corps, la balle devait se trouver quelque part vers la porte qui était restée ouverte. Il la referma. Effectivement, la balle était fichée dans le bois. Elle avait dû être ralentie par la traversée du corps et n'y était pas enfoncée profondément. Martin ne la toucha pas, les techniciens s'en chargeraient à leur arrivée.

Il se retourna vers la chambre, les sourcils froncés. Une chose lui semblait étrange. Il l'avait vue sans vraiment y faire attention. Devant la cheminée, il y avait de la fine poussière et quelques fragments de pierre plus gros sur le sol. Le manteau de la cheminée avait une entaille en son milieu et s'il n'avait pas retrouvé la balle fichée dans la porte, Martin aurait cru qu'elle avait causé ces dégâts. Pourtant, c'était impossible. Le corps de Matte ne présentait les blessures que d'un seul impact de balle, et rien n'indiquait qu'un second coup de feu ait été tiré. La cheminée avait forcément été abîmée par autre chose. Il n'y avait aucune trace de lutte dans la pièce. Tout y était soigneusement rangé. Le manteau ébréché de la cheminée et le petit tas de poussière de pierre sur le sol étaient la seule discordance. Etrange. Cependant, la cheminée pouvait très bien avoir été endommagée avant que Matte ne soit assassiné. Martin soupira. Il ne s'en sortirait pas. Si au moins il avait pu discuter de l'affaire avec Patrik Hedström, cela l'aurait certainement aidé. Seul, il était complètement perdu.

Il sortit de la pièce à reculons. Il n'y trouverait rien de plus. Maintenant il fallait mettre le corps de Matte dans la chambre froide où il reposerait temporairement avec son grand-père. Martin ne se réjouissait pas d'avoir à demander de l'aide pour le faire.

Lisette dormait d'un sommeil agité. Le canapé était certes confortable, mais de sombres rêves venaient perturber son repos. Elle avait mis des boules Quiès pour ne pas être dérangée par la tempête, mais le silence qu'elles provoquaient semblait ouvrir la voie aux pensées angoissantes.

Elle était poursuivie par ses rêves dans lesquels des visages se confondaient. Ruben devenait Bernard, qui devenait Matte. Des yeux accusateurs. Des yeux tristes. Des yeux désespérés. Des yeux qui se tournaient vers elle, pleins de colère et de haine. Derrière ses paupières closes, ses propres yeux s'agitaient nerveusement. Un son avait franchi le barrage des boules Quies, c'était un cri de douleur et de détresse. Mais la frontière entre rêve et réalité était floue, et le cri accompagna les images de ces yeux qui la poursuivaient.

Malgré les cauchemars, elle lutta pour se maintenir dans le sommeil. La réalité ne valait guère mieux et elle ne souhaitait pas la retrouver. Cependant, elle sentit une main sur son épaule et se réveilla définitivement. En ouvrant les paupières, elle vit le visage de son père. Il était si affligé qu'elle eut du mal à le reconnaître. Elle se redressa d'un coup.

— Qu'est-ce qu'il y a, papa ?

Elle sut d'instinct que quelque chose n'allait pas. Le souvenir du cri dans son rêve, qui d'une étrange façon lui avait paru si réel, refit surface. Elle prit son père par le bras.

— Mais dis-moi, qu'est-ce qu'il y a ?

Elle réalisa seulement à cet instant que la bibliothèque était pleine de monde. Ils étaient tous là. Elle vit sa mère effondrée dans un fauteuil et la panique l'envahit. Elle s'accrocha au bras de Harald lorsqu'il se laissa lourdement tomber à côté d'elle.

— Qu'est-ce qui s'est passé ?

Elle les regarda un à un et lentement, elle commença à comprendre. Tout le monde était là… Tous sauf…

— Matte ! s'écria-t-elle. Où est Matte ?

Elle voulut se lever, mais son père l'en empêcha et la prit dans ses bras. Le geste était destiné à la consoler autant qu'à la retenir.

— Il s'est passé une chose… épouvantable, Lisette.

Sa voix se brisa, et Lisette réalisa que c'était la première fois qu'elle voyait son père pleurer. Il n'en fallut pas plus pour amplifier la panique qui l'assaillait déjà.

— Où est Matte ? répéta-t-elle.

Sa voix était faible et atone. En fait, elle le savait. Elle le lisait sur tous les visages.

— Matte est mort, dit Harald, confirmant ainsi ce que son cerveau avait déjà commencé à tenter d'assimiler.

Elle poussa un sanglot, toujours avec l'étrange sensation d'être encore dans son rêve. Une chose comme celle-ci ne pouvait pas réellement avoir eu lieu. Pas Matte. Toute son amertume à son égard disparut instantanément comme si elle n'avait jamais existé.

— Comment ? demanda-t-elle en se rendant compte qu'elle tremblait.

— On lui a tiré dessus, dit Harald en posant ses mains moites sur les siennes.

— Qui ?

— On n'en sait rien…

Harald se passa une main sur les yeux et Lisette prit soudain conscience de l'état dans lequel devait être sa mère. Elle se précipita sur Britten et posa la tête sur ses genoux, en larmes. Britten avait cessé de crier, elle semblait être en état de choc, ses yeux fixaient le vide. Elle caressa les cheveux de Lisette d'un air complètement absent.

— J'aurais besoin d'un coup de main.

Martin se tenait sur le seuil de la bibliothèque. Son visage était gris et il évita de regarder Britten, comme si sa douleur lui était insupportable. Il fallut quelques secondes aux autres pour comprendre ce qu'il voulait dire. Harald se leva en premier. Gustav fit un pas vers son frère et posa sa main sur son épaule. Il n'avait manifestement pas l'habitude de ce genre de geste, il était maladroit mais témoignait d'une grande compassion.

— On s'en occupe, Harald. Toi, tu restes ici avec Britten et Lisette.

Gustav fit un signe de tête à Bernard qui lui répondit par un hochement silencieux et suivit Martin. Gustav ferma soigneusement la porte derrière eux. Il était inutile que la famille de Matte assiste à leur triste besogne.

— Qu'est-ce qu'ils vont faire ? demanda Britten d'une voix distante.

Lisette prit les mains de sa mère entre les siennes.

— Tu n'as pas besoin de t'en soucier, maman.

— Ils le déplacent, c'est ça ? Où vont-ils le mettre ? Je dois lui trouver une couverture, il risque d'avoir froid.

Britten tenta de se lever, mais Lisette la maintint doucement dans le fauteuil.

— Ils s'occupent de lui, maman. Je te promets. Tu ne peux plus rien faire pour l'instant.

— Mais...

— Chuut...

Lisette s'installa contre sa mère dans le grand fauteuil, l'entoura de ses bras et la berça comme une enfant. Elle avait l'impression qu'on lui avait arraché le cœur mais ce n'était pas le moment de se laisser aller. Sa mère avait besoin d'elle.

Derrière la porte fermée, ils écoutèrent en silence le son des lourds pas dans l'escalier. Trois hommes qui descendaient et s'éloignaient lentement.

En arrivant dans la cuisine, Martin se rendit compte que le couple de propriétaires ignorait toujours ce qui s'était passé. La pièce était vide, ils s'étaient manifestement absentés et toute la confusion de ces dernières minutes avait dû leur échapper. Ils ne tarderaient cependant pas à l'apprendre. Mais il fallait d'abord déposer le corps de Matte dans la chambre froide. Martin marchait en tête, et il réussit à ouvrir le cadenas et la porte d'une main. La soudaine baisse de température le fit grelotter lorsqu'il pénétra dans la pièce. Il chercha des yeux un endroit où déposer Matte et s'aperçut que la seule possibilité qui s'offrait à eux était le congélateur. Le poser à terre ne lui paraissait pas très respectueux.

— On va le poser sur le congélateur pour l'instant, puis on ira chercher une table dans la salle à manger.

Bernard et Gustav hochèrent la tête sans rien dire. Ils se faufilèrent devant Ruben en évitant de le regarder. Aussitôt après avoir étendu le corps de Matte, ils repartirent chercher une table. Ils n'avaient aucune envie de rester là plus que nécessaire.

Quelques minutes plus tard, Matte était convenablement installé à côté de son grand-père. Ces deux hommes de la famille Liljecrona avaient tous deux connu une mort violente. Et cette maison abritait un assassin. Quelqu'un avait tué Matte et son grand-père, et Martin réalisa en cet instant qu'il n'avait pas la moindre idée de son identité. Cette pensée le glaça.

Aucun d'eux n'avait la force de se confronter au chagrin qui régnait dans la bibliothèque. Ils s'attardèrent dans la cuisine et se versèrent une tasse de café qu'ils sirotèrent en silence.

— Savez-vous si quelqu'un dans la famille possède une arme à feu ? L'un de vous peut-être ? demanda Martin.

Son intonation était plus incisive qu'il ne l'aurait voulu mais il s'agissait d'une question assez difficile à enrober. Un silence pesant s'installa pendant lequel Bernard et Gustav échangèrent un long regard. Enfin, Gustav prit la parole.

— Mon père avait toujours un revolver avec lui. Ça a commencé après la tentative d'enlèvement.

Soudain Martin se souvint d'une information qu'il avait oubliée. Il y avait une quinzaine d'années, la mafia de l'Est avait tenté de kidnapper Ruben Liljecrona. La police avait eu vent du projet et était intervenue avant que le rapt n'ait lieu. Les journaux en avaient fait leurs choux gras pendant des semaines.

— Après ça, il ne s'est plus jamais vraiment senti en sécurité, poursuivit Gustav. Alors il s'est procuré un revolver qu'il gardait toujours à proximité de lui.

— Comment a-t-il fait pour obtenir un permis ? demanda Martin qui se rendit immédiatement compte de la naïveté de sa question.

Bernard poussa un petit soupir comme pour confirmer ses pensées.

— Il s'en foutait complètement d'avoir un permis. Et trouver un revolver n'était pas un problème.

— Qui savait que Ruben avait une arme, et où il la gardait ?

— Tous ceux qui sont ici, dit Bernard sur ce ton dédaigneux qui portait sur les nerfs de Martin depuis qu'il l'avait rencontré. Personne dans la famille n'ignorait que Ruben était tout le temps armé, et qu'il gardait son arme dans un compartiment de sa serviette.

— Et personne n'a eu l'idée de m'en informer ? dit Martin qui était désormais hors de lui. Un meurtre a été commis, le tueur n'a pas encore été identifié, nous sommes coincés ici, et vous ne trouvez pas pertinent de m'informer qu'il y a un pistolet dans la maison ? poursuivit-il en tremblant de colère.

— On… je crois qu'on n'y a pas pensé…, dit Gustav sur un ton inquiet. On le sait depuis tellement longtemps qu'on n'y pense plus…

Son regard se posa sur la chambre froide, et Martin espéra de tout son cœur qu'il pensait la même chose que lui. S'ils s'étaient donné la peine de l'informer de l'existence du pistolet, Matte aurait peut-être eu la vie sauve.

— Je monte jeter un coup d'œil.

Martin posa bruyamment sa tasse sur le plan de travail. Une fois dans l'escalier, il pesta contre lui-même. Pourquoi n'avait-il pas pris la peine d'examiner la chambre de Ruben plus tôt ? Sur le moment, les témoignages lui avaient paru plus importants.

Il entra prudemment dans la chambre, la plus grande et la plus belle de la maison, ce qui était peut-être justifié puisque c'était Ruben qui régalait. Un lit à baldaquin trônait au centre de la pièce. Il n'avait pas été défait, puisque le vieil homme n'avait pas eu le temps de s'y glisser. Il y avait des piles de vêtements soigneusement pliés dans une grande valise ouverte. Un livre était posé sur la table de chevet, et Martin le prit, curieux de voir quelle était la lecture de Ruben. *Les Aventures de Sherlock Holmes.* Il eut un petit sourire. C'était un livre… tout à fait approprié. Martin aurait bien aimé avoir ne serait-ce qu'une infime partie du génie de Sherlock Holmes et de son don pour résoudre les mystères qui paraissaient insolubles.

Il s'accroupit devant la valise et commença à en sortir le contenu. Des chemises, des pulls en laine d'agneau, des pantalons et des sous-vêtements. Il y avait de quoi s'habiller pour quinze jours. Evidemment lorsqu'on ne portait pas ses bagages, il était tentant de les surcharger. Une fois vidée, il examina la valise. Elle ne contenait rien d'autre. Pas de trace du pistolet. Tout aussi soigneusement qu'il les avait sorties, il y replaça les piles de vêtements, puis scruta la pièce un moment. Un porte-document était appuyé contre la table de chevet et, sentant une lueur d'espoir poindre en lui, il le saisit et s'assit sur le lit. La serrure codée à quatre chiffres n'était que sommairement fermée et ce fut un jeu d'enfant de l'ouvrir. La première chose qu'il vit était une épaisse liasse de documents et quelques chemises en plastique. Il les sortit une à une et les posa sur le lit. Il n'y avait rien d'autre dans la serviette. Il tâta l'intérieur de la main et sentit un morceau de tissu doux. Il était de la même couleur que la doublure et cela expliquait pourquoi il ne l'avait pas vu tout de suite. Il le déplia et comprit qu'il contemplait vraisemblablement le linge qui avait servi à envelopper une arme. Le pistolet qui devait donc y être rangé ne s'y trouvait plus. Martin fixa le vide devant lui. Les pensées se bousculaient dans sa tête. L'arme de Ruben avait disparu, et il ne fallait pas être un génie pour conclure qu'elle avait probablement servi à tuer Matte.

Après avoir remis le linge au fond de la serviette, il examina les documents dans l'espoir d'y trouver une piste. Rien ne semblait être un tant soit peu associé aux deux meurtres. Il y avait un compte rendu de réunion, un rapport financier et une analyse de risques concernant une proposition d'investissement. Il remit les dossiers en place et demeura un moment assis sur le lit pour réfléchir. Quelqu'un était entré dans la chambre de Ruben et avait pris son revolver. Quelqu'un qui savait qu'il l'avait et où il le gardait, ce qui était probablement le cas de toute la famille Liljecrona. Martin soupira. Il appréhendait de redescendre affronter l'accablement qui avait envahi la bibliothèque et d'avoir à assumer la responsabilité qui pesait sur ses épaules. Il se leva. Autant s'y mettre sans tarder, il ne pouvait pas rester assis ici éternellement.

Miranda pénétra dans le vestibule au moment où l'on ouvrait la porte d'entrée. L'air froid et la neige s'engouffrèrent dans la maison et elle frissonna. Kerstin et Börje étaient bien couverts et ils tapèrent des pieds avant d'entrer pour dégager les paquets de neige collés à leurs bottes.

— Brrr, quel temps de cochon ! dit Börje en enlevant ses gants. On est descendus jusqu'au ponton, on dirait que le temps se calme. Si le brise-glace arrive à sortir, on va bientôt pouvoir rejoindre Fjällbacka.

Il se poussa pour laisser place à Kerstin, et ils enlevèrent les doudounes dont ils s'étaient équipés contre le vent. Quelque chose dans le regard de Miranda attira l'attention de Börje, et il s'arrêta net, son blouson à la main.

— Qu'est-ce qu'il y a ? Il s'est passé quelque chose ?

Kerstin s'interrompit elle aussi en percevant le malaise qui flottait dans l'air. Tout d'abord, Miranda ne put que hocher la tête car ses pleurs l'empêchaient de parler. Puis elle fit un effort pour se ressaisir et se racla la gorge.

— Il est… Il s'est passé quelque chose… Matte… il…

Elle buta sur les mots et essaya de se concentrer pour formuler ce qui devait être dit.

— Matte… il… il est mort.

Les mots résonnèrent, froids, entre les murs. Ils paraissaient durs et définitifs dans sa bouche, et la boule dans son ventre grandit avec chaque syllabe. Elle entendit des sanglots depuis la bibliothèque.

Les propriétaires de Valö se figèrent comme frappés par la foudre.

— Qu'est-ce que tu dis ? Mais… comment… ? bégaya Börje qui avait lui aussi du mal à s'exprimer avec des phrases complètes. C'est arrivé comment ? reprit-il en secouant la tête comme pour chasser ce qu'il venait d'entendre.

— On lui a tiré dessus…

— Tiré dessus ? répéta Kerstin, livide, puis elle chancela et s'appuya contre le mur.

— Tiré dessus ? répéta Börje en continuant à secouer la tête d'un air incrédule.

— Britten l'a trouvé dans sa chambre, dit Miranda et ses yeux se posèrent sur la porte fermée de la bibliothèque.

— Oh mon Dieu. Pauvre femme, s'exclama Kerstin d'une voix compatissante. Comment… comment va-t-elle ?

— Elle est en état de choc.

Un sanglot s'échappa de la pièce fermée, comme une triste illustration sonore de ce qu'elle venait de dire.

— Pauvre femme, répéta Kerstin qui paraissait s'être ressaisie. Börje, on va leur préparer du café et des sandwiches, et puis il faut vérifier le feu dans la cheminée pour qu'ils n'aient pas froid. On doit leur offrir un service irréprochable, c'est le moins qu'on puisse faire.

Ces directives rapides tirèrent Börje de sa torpeur et il ôta vivement ses bottes et son pantalon de ski.

— Bien sûr. Je m'occupe du feu, si tu prends la cuisine, dit-il en se dirigeant vers la bibliothèque. La main sur la poignée de porte, il s'arrêta brusquement.

— Où... l'avez-vous mis ?

— Dans la chambre froide. Il repose dans la chambre froide.

— Et vous ne savez pas qui..., dit Börje qui laissa le reste de la phrase s'éteindre dans sa bouche.

— Non. Nous ne savons pas qui, répondit Miranda avant de leur tourner le dos pour monter dans sa chambre.

Elle avait un besoin criant de se retrouver seule un moment.

Britten releva la tête lorsque Börje ouvrit la porte. Il resta timidement dans l'ouverture et dit d'un ton peu assuré :

— Toutes mes condoléances...

Britten comprit qu'il ignorait comment poursuivre. Quels mots choisir pour ce genre de situation ?

Il s'approcha de la cheminée et farfouilla avec le tisonnier dans le feu avant d'y ajouter quelques bûches.

— Comme ça, vous aurez un peu plus chaud. Kerstin va vous apporter du café et des sandwiches dans un instant, dit-il à voix basse avant de refermer la porte derrière lui.

Britten le suivit d'un regard apathique. La température de la pièce était le cadet de ses soucis. Le thermomètre pourrait descendre en dessous de zéro, qu'elle ne s'en rendrait pas compte. C'était comme si son corps avait été débranché, il lui semblait qu'elle ne pouvait plus ressentir des choses aussi triviales que la chaleur, le froid, la faim ou la soif. Son esprit traitait les images imprimées sur sa rétine comme une information irrecevables. Comment pourrait-elle accepter ? Comment pourrait-elle accepter la mort de Matte, son fils ?

Lisette était accroupie la tête sur ses genoux. Elle sentit que sa fille était secouée de pleurs et, ne sachant pas la consoler véritablement, elle lui caressa distraitement les cheveux. Elle était incapable d'accorder son attention au chagrin d'autrui alors qu'elle se débattait avec sa propre douleur.

Elle se remémora le jour de juillet où Matte était né. Il faisait une chaleur insupportable dans la salle de travail. Elle avait aperçu une guêpe coincée derrière le survitrage de la fenêtre et s'était concentrée sur sa lutte pour en sortir tout au long de son accouchement. Mais dès l'instant où elle avait vu son fils, la guêpe avait cessé d'exister, la douleur également. Il était si petit. Il avait un poids normal, mais lui semblait terriblement fragile. Elle avait compté ses doigts et ses orteils, plusieurs fois, comme une formule incantatoire pour s'assurer que tout allait bien. Il ne criait pas. Emerveillée, elle avait constaté qu'il était venu au monde en silence, les yeux écarquillés d'étonnement, louchant un peu lorsqu'il essayait de la fixer. Dès la première seconde où elle l'avait vu, elle l'avait aimé passionnément. Et quelques années après, elle avait également aimé Lisette dès sa naissance mais Matte était son premier enfant, et ils avaient partagé quelque chose de spécial. Un lien unique s'était créé à l'instant où pour la première fois ses yeux curieux avaient rencontré les siens. Harald n'avait pas assisté à l'accouchement. Cela ne se faisait pas à cette époque. Et cela n'avait fait que renforcer le lien entre Matte et elle. C'était lui et elle face au reste du monde. Rien ne pourrait venir s'interposer entre eux.

Bien sûr, cela avait changé lorsqu'il avait grandi. Ils n'avaient jamais retrouvé la magie des tout premiers instants, mais quelque chose demeurait. Un sentiment de partage exceptionnel. Elle avait terriblement souffert de le voir devenir quelqu'un d'aussi tourmenté, d'imaginer quels démons il devait combattre. Maintes fois, les questions avaient menacé de l'étouffer – était-ce quelque chose qu'elle avait fait, qu'ils avaient fait ? Cependant, elle savait en son for intérieur que ce n'était pas le cas. Dès les premières secondes, lorsqu'il était couché, chaud et humide, sur sa poitrine, elle avait perçu une gravité dans ses yeux comme si une âme ancienne avait été remise sur le chemin de la vie, alors qu'elle aurait peut-être préféré la paix et le repos. Ce n'était pas des idées dont elle avait discuté avec Harald mais une part d'elle n'avait pas été surprise lorsqu'elle l'avait découvert étendu sur le sol, ses beaux yeux bleus fixant le vide sans rien voir. D'une certaine façon, elle avait toujours su que cette âme ancienne en Matte n'aurait pas la force d'assumer une vie entière. Elle avait déjà trop vu, trop vécu. Il avait été donné à son fils de vivre trente ans, plus qu'elle n'avait osé espérer, pourtant cela ne rendait pas le deuil plus facile à porter.

Elle continua à caresser les cheveux de Lisette.

Martin pénétra dans la cuisine au moment où Kerstin versait du café dans un Thermos.

— Oh, est-ce que je peux en avoir ? demanda-t-il, en quête du moindre stimulant pour combattre la fatigue et le découragement.

— Bien sûr, répondit Kerstin en lui servant un café noir dans un grand mug. Elle hésita un instant avant de dire : On a appris ce qui est arrivé. Ça s'est passé comment ?

Börje entra à son tour dans la cuisine, lui aussi voulait connaître les détails du drame. Martin but goulûment une gorgée de café.

— Matte a été tué par balle. Sa mère l'a trouvé dans sa chambre et à l'heure actuelle, nous n'avons aucune idée de qui a pu faire ça.

— C'est forcément le meurtrier de Ruben, dit Börje, le front plissé en jetant un regard sur la porte de la chambre froide.

— Très sincèrement, je n'en sais rien. Mais je suppose qu'il y a des raisons de croire qu'il s'agit de la même personne.

— Avez-vous trouvé l'arme ?

— Non. Il n'y avait pas de pistolet dans la chambre de Matte. Je l'ai fouillée de fond en comble.

— Vous l'avez mis là-dedans ? demanda Kerstin d'une voix tremblante en désignant la chambre froide.

— Oui. On l'a installé à côté de Ruben. Mais il faudra rapidement les transporter sur le continent. Et des techniciens doivent à tout prix venir ici avant que toutes les traces ne disparaissent.

Börje répéta ce qu'il venait juste de dire à Miranda :

— On revient du ponton. Ce n'est pas une mince affaire d'y descendre avec toute cette neige. Elle vous arrive jusqu'à la taille. Mais on a réussi, et si le vent tombe encore un peu, le brise-glace pourra sortir, et on pourra bientôt quitter l'île.

— Il n'y a pas moyen de rétablir le téléphone ? demanda Martin sans grand espoir.

— On en a profité pour vérifier la ligne. Le vent l'a arrachée, et on ne peut rien faire, il faut attendre qu'ils viennent la réparer.

— Bon, tous nos espoirs reposent désormais sur le brise-glace, dit Martin. Sera-t-on prévenus de son arrivée ?

— On le saura, vous pouvez me croire, dit Kerstin qui avait commencé à préparer des sandwiches. Il fait un de ces boucans, on l'entend sans problème. Pas d'inquiétude à avoir de ce côté-là.

— Et dans ce cas, ils cassent la glace jusqu'ici ?

— Ils savent qu'on a du monde. Je leur en ai parlé la semaine dernière. Dès qu'ils pourront sortir, ils ouvriront un chenal jusqu'à l'appontement.

— Tant mieux, dit Martin en tendant la main vers un sandwich jambon-fromage. En attendant, on se débrouillera comme on pourra. Mais pour le bien de tous, il vaudrait mieux qu'il y ait bientôt une accalmie.

Tous les trois jetèrent un coup d'œil vers la porte fermée de la chambre froide.

Avec un regard de connivence, Gustav et Bernard sortirent discrètement de la bibliothèque où ils étaient retournés après avoir aidé Martin à transporter le corps de Matte. Incapables du moindre geste, ils étaient restés plantés dans un coin de la pièce, en chuchotant entre eux, ne sachant quelle attitude adopter vis-à-vis de la famille de Matte. Vivi et Miranda étaient montées dans leurs chambres. Bernard et Gustav enfilèrent quant à eux leur veste et sortirent affronter le froid. Après l'atmosphère oppressante de la maison, respirer le grand air, fût-il glacial, était une libération.

— Un cigare ? demanda Gustav en lui présentant un étui contenant des cigares roulés à la main.

— Pourquoi pas ? répondit Bernard, s'ils sont bons pour les fêtes, je suppose qu'ils sont bons aussi pour ce genre de circonstances.

Il en prit un dont il coupa adroitement le bout, l'alluma et inspira une première bouffée jouissive. C'était divin. Connaissant son père, ils n'étaient certainement pas bon marché. A la maison, il possédait une petite fortune dans sa cave à cigares.

Gustav en savoura également les premières bouffées et ferma les yeux en recrachant lentement la fumée.

— Qu'est-ce que tu en penses ? dit-il en fixant l'obscurité et en serrant davantage sa veste autour de lui.

— Qu'est-ce qu'on peut en penser ? On dirait une sorte de vaudeville.

— Vaudeville n'est peut-être pas le mot approprié, dit Gustav avec un regard sévère pour son fils.

— Non, ce n'est pas ce que je voulais dire, simplement, tout ça est un peu... absurde serait peut-être mieux.

— Je suis d'accord. C'est pour le moins absurde. Et une tragédie pour Britten et Harald.

— Putain, oui, une vraie tragédie, renchérit Bernard en tapotant sur son cigare pour en détacher un peu de cendre.

— Mais à ton avis ? Qui a tué Matte et Ruben ? Je dois reconnaître que je ne pensais pas que quelqu'un dans cette famille ait suffisamment de couilles pour faire une chose pareille.

— Je suis entièrement d'accord avec toi, papa, dit Bernard en riant. Tu sais, à un moment, j'ai même cru que c'était toi. Mais c'était avant que Matte soit tué.

— Moi ! ? s'écria Gustav d'un air offensé.

— Oui, je sais que grand-père n'a pas été tendre avec toi dernièrement, et je me suis dit... que tu avais simplement réglé ça à ta manière.

Bernard rit de nouveau et éteignit son cigare dans la neige sur la rambarde du perron.

— Tu forces un peu la dose, là. Tuer mon propre père ? Parfois je me demande comment tu es foutu ? dit Gustav, indigné.

— Prends-le comme un compliment. Il me semble bien que tu passes pour un trouillard aux yeux des autres. Si je t'ai soupçonné, c'est que je considère que mon vieux père peut faire preuve d'initiative.

Malgré lui, Gustav eut l'air assez satisfait en entendant les paroles de son fils.

— Oui, c'est vrai, on peut le voir comme ça.

Lui aussi éteignit son cigare dans la neige et glissa les mains dans les poches de son duffel-coat.

— Tu crois que Harald aurait pu… ?

Bernard laissa sa question en suspens. Gustav eut tout d'abord l'air de vouloir protester avant de réfléchir à cette éventualité.

— S'il n'y avait eu que Ruben… peut-être. Mais Matte ? J'ai le plus grand mal à croire qu'il pourrait abattre son fils de sang-froid.

— Mais on ne sait pas du tout comment ça s'est passé, dit Bernard. Ils ont peut-être commencé à se bagarrer, et le coup est parti… Qu'est-ce que j'en sais ? Ce n'est pas si invraisemblable.

— Non, tu as peut-être raison. Ce n'est pas totalement impensable. Harald aussi a eu sa part de réprimandes de la part de papa, et il a toujours été si susceptible…, dit Gustav, l'air préoccupé.

— Espérons que la police du continent pourra bientôt prendre toute l'affaire en main. Le mec de Lisette est un blanc-bec, il ne fait pas le poids. Je ne me fais pas trop d'illusions sur sa capacité à résoudre l'affaire, dit Bernard avec un rire dédaigneux.

— C'est vrai, il ne vaut pas tripette.

— Tripette, quel mot ! Tu parles comme dans une série B des années 1930, dit Bernard en riant avant d'ouvrir la porte d'entrée.

— Dis donc, fais attention à ce que tu dis, je suis ton père après tout !

Dès qu'ils furent entrés, ils adoptèrent une expression endeuillée plus appropriée.

— Est-ce qu'on peut se parler un peu ? Vous en avez la force ?

Martin avait discrètement passé la tête par la porte de la bibliothèque et s'adressait à Harald. Celui-ci interrogea Britten du regard et elle hocha la tête. En jetant un dernier coup d'œil à sa femme et sa fille, il se leva et lui emboîta le pas.

— On pourrait peut-être s'installer dans la salle à manger, dit Martin.

Harald ne répondit pas mais il le suivit. Ils s'assirent à une table au fond de la pièce, et Kerstin leur apporta du café et des tartines avant d'aller servir dans la bibliothèque.

— Mangez un peu, dit Martin, mais Harald fit une grimace et repoussa le plat. J'ai quelques questions à vous poser, poursuivit-il, assez mal à l'aise d'avoir à l'importuner ainsi, mais Harald ne parut pas s'en offusquer.

— Allez-y, dit-il d'une voix lasse.

— Il s'agit du pistolet de votre père, dit Martin qui vit Harald sursauter à ces mots.

— Le pistolet de mon père ? Qu'est-ce qu'il… ?

Il comprit ce qu'il en était et son visage prit une teinte cendrée.

— C'est lui qui a… ?

— On ne peut l'affirmer avec certitude avant que les techniciens aient fait leur boulot. Mais il a disparu, alors on a des raisons de croire que… Qui connaissait l'existence de cette arme ? poursuivit-il pour obtenir une confirmation de ce qu'il avait déjà entendu.

La main de Harald trembla lorsqu'il saisit sa tasse avant de répondre.

— Toute la famille. Tout le monde était au courant. Mon père a été victime d'une tentative d'enlèvement il y a quinze ans. Les ravisseurs étaient à deux jours de l'exécution de leur projet lorsque l'un d'eux a bu un coup de trop dans un bar et a bavardé avec la mauvaise personne. Je sais que papa a eu très, très peur. Peut-être pour la première fois de sa vie, d'ailleurs. Ils avaient bricolé un coffre dans lequel ils avaient l'intention de l'enfermer. Papa l'a vu en photo dans un journal, et le lendemain il s'est arrangé pour trouver un revolver. Il le portait tout le temps avec lui. Toute la famille était au courant.

— Apparemment, il le gardait dans sa serviette.

— Oui.

— Est-ce qu'il fermait la serviette à clé ?

— C'était un sujet de dispute entre nous tous. Il était très distrait. La serviette est pourvue d'une serrure à combinaison, mais il ne s'en servait jamais, ça l'agaçait. On n'arrêtait pas de le lui dire, d'une part à cause du revolver, d'autre part à cause des documents confidentiels qui pouvaient s'y trouver. Il y a des gens qui feraient n'importe quoi pour mettre la main sur ce genre d'informations. Mais bizarrement, ça lui était égal.

— C'était donc quelque chose que tout le monde dans la famille savait ?

— Oui. Mais j'ai du mal à croire que..., dit Harald en secouant la tête d'un air sceptique. Je veux dire, qui... ? Qui dans la famille pourrait envisager une telle chose ? Matte qui n'a jamais fait de mal à une mouche...

Ses yeux s'emplirent de larmes. Ce n'était pas évident, mais Martin se sentit obligé de faire une remarque.

— Il avait tout de même sérieusement essayé de s'en prendre à Bernard plus tôt dans la journée.

— Parce que Bernard l'avait provoqué, siffla Harald. Son énervement le quitta aussi vite qu'il était apparu et il ajouta sur un ton plus calme : Bernard a un don pour appuyer là où ça fait mal. J'ai toujours eu le sentiment qu'il y avait un conflit larvé entre lui et Matte, et je… j'aurais sans doute dû essayer d'en savoir plus.

Subitement, il se redressa sur sa chaise, et son visage reprit des couleurs.

— Vous croyez que Bernard… ?

— Pour l'heure, je ne crois rien. Et nous ne voulons pas empirer la situation avec un tas d'accusations infondées, dit Martin en fixant Harald dans les yeux.

— J'entends ce que vous dites. Je vais me tenir à carreaux. Mais s'il y a la moindre preuve que…, dit Harald dont le regard semblait s'être obscurci.

— Des preuves…

Ces mots résonnèrent en Martin. Il avait manqué quelque chose. Quelque chose qu'il aurait dû faire, ou voir, et qui lui échappait à présent. Il laissa encore une fois ces mots le pénétrer… des preuves… C'est ça ! Dans la chambre de Matte ! Il se leva brusquement.

— Excusez-moi, Harald, mais je dois aller vérifier une chose. Merci de votre aide.

Il se dirigea vers la porte, mais s'arrêta avant de quitter la salle à manger et dit gentiment :

— Essayez quand même de manger un peu.

Puis il fila dans le vestibule et grimpa l'escalier quatre à quatre.

Vivi était allongée sur son lit et avait le regard rivé au plafond. Elle laissait vagabonder ses pensées. Elles étaient sombres et chaotiques. Chaque fois qu'elle fermait les yeux, elle revoyait le corps de Matte. Le sang sur sa poitrine et celui qui s'était répandu à terre. L'expression qu'avait Britten en berçant la tête de son fils sur ses genoux. Vivi finit alors par les garder ouverts et les images étaient moins puissantes, moins horribles lorsqu'elle focalisait son attention sur le plafond. Sa propre culpabilité pesait sur sa poitrine. C'était le poids d'un secret enfoui pendant trop longtemps. Sa peur l'avait maintenu sous bonne garde, mais désormais il semblait lutter pour remonter à la surface et elle ignorait pourquoi. Elle n'avait jamais ressenti le besoin de soulager sa conscience et s'était toujours dit qu'elle emporterait son secret dans la tombe. A présent, tout paraissait si différent. Peut-être parce que pour la première fois, elle était confrontée de près à la mort. Peut-être à cause de l'expression terrible sur le visage de Britten. Rien ne pouvait être pire. Comparé à la douleur de perdre un enfant, tout le reste paraissait si mesquin et son secret ne faisait pas exception. Sa mère lui disait toujours que les monstres éclatent à la lumière du soleil. Pour la première fois, elle eut l'impression que cette lumière éclairait son secret en le rendant insignifiant et futile. Elle se leva. Son corps n'était pas habitué à la détermination qui l'inondait. De toute sa vie, elle n'avait jamais pris de décision désagréable et avait toujours essayé de se maintenir sur un chemin droit, large et régulier. Maintenant elle s'apprêtait à souffler sur des braises dont presque tous ignoraient l'existence.

Elle enfila son gilet et glissa ses pieds dans les pantoufles qu'elle avait méticuleusement rangées à côté du lit. Elle hésita un instant, mais dès qu'elle eut ouvert la porte et qu'elle fut dans le couloir, elle sut qu'elle ne pouvait plus reculer. L'heure était venue.

Elle rejoignit en quelques pas la chambre de Miranda qui était située en face de la sienne et frappa doucement à la porte. Elle n'entendit que quelques petits bruits épars, puis enfin la voix de sa fille :

— Qui est-ce ?

— C'est moi.

Miranda vint lui ouvrir, elle paraissait inquiète.

— Il s'est passé quelque chose ?

— Non, répondit Vivi en secouant rapidement la tête. Je peux entrer un instant ?

— Oui, bien sûr, dit Miranda en s'effaçant pour la faire entrer. J'étais en train de lire. J'avais besoin de m'éloigner de… de tout ça.

Une ombre passa sur son visage, et Vivi se demanda si elle avait fait le bon choix. Mais ses scrupules disparurent aussi vite qu'ils étaient apparus. Il était temps d'aérer, de vider les placards et de sortir tous les vieux squelettes à la lumière du jour.

— J'ai quelque chose à te dire, annonça-t-elle en s'asseyant sur le lit.

— Oui ?

— Je…

Les mots ne vinrent pas et comme à son habitude, Vivi passa sa main sur son cou. Elle ignorait comment formuler ce qu'elle avait à annoncer à sa fille, et elle se racla la gorge.

— J'ai fait une bêtise. Il y a de nombreuses années. Pourtant je n'ai jamais regretté…, ajouta-t-elle rapidement.

Miranda la contempla, déconcertée. Elle ignorait totalement de quoi sa mère voulait parler.

— J'ai… j'ai eu une brève aventure. Avec un autre homme. Et je suis tombée enceinte.

Les yeux de Miranda s'agrandirent soudain. Elle leva les mains pour se boucher les oreilles à la manière d'un enfant qui choisit d'éviter ce qu'il ne veut pas entendre. Mais elle les laissa retomber sur ses genoux et fixa sa mère, muette.

— Ton père n'est pas au courant. Il a sans doute pensé que tu étais arrivée un peu vite, mais tu sais, les hommes… eh bien, ils sont très doués pour se leurrer. Je me demande parfois s'il a envisagé cette possibilité, mais je ne le crois pas.

— Alors tu veux dire que je…

Miranda avala sa salive et continua à regarder fixement sa mère. Vivi pouvait littéralement voir son cerveau travailler pour accueillir l'information.

— Oui, je veux dire que Gustav n'est pas ton père.

Vivi fut étonnée de la facilité avec laquelle elle lâchait les mots qui étaient restés enfouis en elle pendant trente ans. Elle les avait surveillés de près, les avait retenus, s'était même interdit d'y penser. Et désormais, elle laissait s'échapper son secret d'un ton calme et détaché. Elle sentit une sensation de soulagement se répandre en elle en prenant conscience que ce fardeau avait été très lourd à porter.

— Mais qui alors… ?

Miranda déglutit avec peine. Ses mains bougeaient nerveusement, comme de petits oisillons sur ses genoux tandis que Vivi tripotait les peluches du couvre-lit.

— Harald. C'est Harald, ton père biologique. On a eu une relation assez brève, j'ai rompu lorsque j'ai compris que j'étais enceinte.

Miranda eut le souffle coupé et Vivi en profita pour continuer :

— Personne d'autre que moi, et peut-être Harald, n'est au courant. Mais je voulais que tu saches que Matte était ton frère, pas ton cousin.

Elle avait presque le vertige tant elle était soulagée d'entendre enfin jaillir ces paroles. C'était comme si tous les événements tragiques de ce week-end, la mort de Ruben, la mort de Matte, l'avaient libérée. Que reste-t-il à craindre lorsque le ciel vous est déjà tombé dessus ?

— Matte... était... mon... frère..., bégaya Miranda. Je n'arrive pas à le croire. Mais comment... quand... ?

Elle secoua la tête, sans quitter sa mère du regard.

— On en reparlera plus tard, déclara Vivi en tapotant la main de sa fille. Je pense que tu as besoin de digérer tout ça tranquillement, ensuite tu pourras me poser toutes les questions que tu veux. En tout cas, maintenant tu es au courant.

Elles entendirent quelqu'un monter l'escalier au pas de course et en sortant de la chambre, Vivi fut presque renversée par Martin qui passait en trombe dans le couloir.

— Pardon, dit-elle, mais il ne lui prêta aucune attention.

Il s'arrêta devant la chambre de Matte et elle se demanda ce qui pouvait bien mériter une telle précipitation.

Martin se maudit. Comment avait-il pu être aussi négligent ? Il avait une preuve, une seule preuve éventuelle, et il l'avait laissée dans la chambre. Et si l'assassin était déjà venu la chercher ?

Il pesta en ouvrant la porte de la chambre de Matte. Puis il s'arrêta net à la vue de la flaque de sang et se calma. Cela n'améliorerait certainement pas les choses s'il se ruait dans la pièce et se mettait à piétiner les traces qui pouvaient s'y trouver. Il entra donc lentement dans la chambre et avança jusqu'à la table de chevet. Il ne se rendit compte qu'il retenait sa respiration que lorsqu'il souffla de soulagement à la vue du téléphone portable dont le propriétaire était encore inconnu.

Il était éteint. Quelle poisse ! Il referma le clapet et l'emporta, redescendit et hésita un instant devant la porte de la bibliothèque avant de l'ouvrir. En pénétrant dans la pièce, il ressentit presque physiquement la douleur des membres de cette famille et envisagea un instant de tourner les talons pour ne pas les déranger. Pourtant, il savait que ce n'était pas une option.

Il se racla la gorge pour signaler sa présence.

— N'y a-t-il vraiment aucun moyen de partir d'ici ? demanda Britten.

Alors qu'il n'était qu'à deux mètres d'elle, Martin eut peine à l'entendre avant que son filet de voix cassée se dissolve et disparaisse. Il secoua la tête.

— Pas encore. Mais Börje et Kerstin sont descendus au ponton, ils disent que si le vent se calme un peu, le brise-glace viendra jusqu'ici.

— On pourra prendre Matte avec nous alors ? demanda Britten.

Elle serra sa couverture plus près du corps. Martin vit qu'elle claquait des dents bien que le feu dans la cheminée eût réchauffé la pièce.

— On fera en sorte qu'il vienne avec nous, répondit Martin.

Il espéra ne pas lui faire une promesse qu'il ne pourrait pas tenir mais il n'avait pas la force de le lui refuser alors qu'elle semblait sur le point de s'effondrer. Il verrait plus tard comment faire pour assumer sa décision.

— J'ai une question. Est-ce que quelqu'un reconnaît ceci ? demanda-t-il en brandissant le téléphone portable.

— C'est le mien, répondit Bernard. Où l'as-tu trouvé ?

— Dans la chambre de Matte.

Le visage de Bernard était totalement inexpressif lorsqu'il demanda :

— Comment il est arrivé là ?

— C'est exactement ce que je m'apprêtais à te demander, dit Martin en exhortant Bernard du regard.

— Je n'en ai aucune idée. La dernière fois que je l'ai vu, il était dans ma chambre. Ce n'était pas la peine de le trimballer partout alors qu'il n'y a pas de réseau.

— Et quand est-ce que tu l'as vu pour la dernière fois ?

— Ce matin en me réveillant, répondit Bernard. Il me sert de réveil aussi.

— Et tu n'es pas entré dans la chambre de Matte depuis ?

Martin savait que sa question était trop directe, mais ces dernières vingt-quatre heures avaient été si stressantes qu'il avait du mal à contrôler ses nerfs.

— Non, je ne suis jamais entré dans la chambre de Matte, pas une seule fois ! Tu essaies de m'accuser de quoi ?

Bernard fit un pas en avant, mais son père l'arrêta en posant sa main sur son bras.

— Martin fait son boulot, Bernard. Calme-toi maintenant. Il faut bien que toute la lumière soit faite sur cette affaire.

Bernard se dégagea de l'étreinte de son père, puis il répéta sur un ton plus calme :

— Je ne suis pas entré dans la chambre de Matte. Jamais.

— Tu n'as aucune idée alors de comment ton téléphone s'y est retrouvé ?

— Quelqu'un a dû venir le prendre dans ma chambre. Je ne vois pas d'autre possibilité. Quelqu'un cherche à me coincer. L'assassin est venu prendre mon téléphone pour aller le mettre dans la chambre de Matte.

— On peut monter y jeter un coup d'œil ?

— Bien sûr, je n'ai rien à cacher, dit Bernard en écartant les bras. Tu peux regarder tant que tu veux.

Son ton était railleur et Martin dut réprimer son envie de lui donner un violent coup de pied. Il suivit Bernard dans l'escalier et arrivés en haut, ils croisèrent Vivi et Miranda. Elles faisaient une drôle de tête, mais Martin avait d'autres chats à fouetter pour l'instant.

— Que faites-vous ? demanda Vivi.

— Rien. On va juste vérifier un truc, dit évasivement Bernard en se dirigeant vers sa chambre avec Martin sur les talons.

— Tu vois, ce n'est même pas fermé à clé. N'importe qui peut entrer.

Bernard ouvrit la porte avec un geste démonstratif et fit signe à Martin d'entrer le premier.

La chambre était un miracle d'ordre. Trois chemises blanches parfaitement repassées étaient suspendues dans la penderie ouverte. Une paire de chaussures noires cirées, identiques à celles que Bernard avait aux pieds, était posée sous les chemises. Il n'aperçut aucune valise et se dit qu'elle devait être rangée. Un livre était posé sur la table de chevet, *Les Aventures de Sherlock Holmes*. Martin eut le temps de se faire la réflexion qu'il n'avait pas imaginé Bernard en lecteur assidu lorsque celui-ci s'arrêta net derrière lui.

— Ce n'est pas moi qui ai posé ça là.

— Comment ? demanda Martin en se retournant.

— Le livre. Il n'est pas à moi.

Martin haussa les sourcils.

— Tu prétends que quelqu'un est venu ici pour voler ton téléphone portable et pour poser un livre sur ta table de chevet. Si tu veux mon avis, ça ne tient pas debout…

— C'est pourtant ce qui s'est passé, répondit Bernard, irrité. Je ne lis que les journaux économiques. Et Sherlock Holmes, c'est un truc à grand-père. Personnellement, je trouve ça terriblement con.

— Tu es sûr que le livre n'était pas là ce matin ?

— Tu écoutes ce que je dis ? s'exclama Bernard de sa voix hautaine qui résonna entre les murs. Je ne possède pas un tel livre. Et pour te répondre : non, il n'était pas là ce matin. Quelqu'un l'y a mis.

Bernard prononça cette dernière phrase lentement et distinctement comme s'il parlait à un enfant. Encore une fois, la jambe droite de Martin fut parcourue de tressaillements, tant il avait envie de placer un bon coup de pied sur le tibia de Bernard. Il se maîtrisa.

— N'exagère pas. J'entends ce que tu dis, répliqua Martin sur un ton qui était aussi guindé que celui de Bernard était hautain. Tu ne vois rien d'autre qui te semble étrange ? Quelque chose qu'on a ajouté ou qui aurait disparu ?

Bernard parcourut la pièce du regard, puis secoua la tête.

— Non, tout le reste est comme lorsque je suis parti.

Martin s'agenouilla pour regarder sous le lit.

— Qu'est-ce que tu fais ? demanda Bernard, interloqué. Ah ah, tu cherches l'arme du crime.

— Exactement. Tu as quelque chose à y redire ?

— Non, je t'en prie, fais comme chez toi !

Bernard s'adossa au mur, croisa les bras et observa Martin d'un air amusé. Après un moment, celui-ci se releva, épousseta son pantalon et demanda :

— Je suppose que tu as une valise. Est-ce que je peux la voir ?

— Pas de problème, dit Bernard en indiquant le placard. Elle est là-dedans. Vas-y, si ça te fait plaisir de farfouiller dans mes calebards.

Martin sortit la valise, la posa à terre et l'ouvrit. Il chercha parmi les vêtements, inspecta soigneusement les différents compartiments, mais ne trouva rien de particulier.

— Aucun pistolet qui fume ? dit Bernard en observant Martin qui remettait la valise à sa place.

— Non.

— Suis-je considéré comme le principal suspect maintenant ? demanda Bernard que la situation semblait sincèrement amuser.

— En tout cas, tu figures parmi les premiers de la liste. Tu es prié de ne pas quitter la ville, comme ils disent.

— Ça ne risque pas, répondit Bernard en riant. Tiens, on dirait presque que le temps se calme, ma parole. On pourra peut-être bientôt quitter ce trou perdu.

— Espérons-le.

Martin observa la pièce une dernière fois avant de la quitter. Bernard le suivit.

— Est-ce que je peux récupérer mon portable maintenant ? demanda Bernard en tendant la main.

— Non, je le garde encore un peu. De toute façon, il ne te sert à rien, il n'y a pas de réseau ici.

— Et pour le livre, qu'est-ce qu'on fait ?

— Je vais demander en bas si quelqu'un est au courant. Mais ça m'étonnerait qu'on me donne cette information si facilement. Qu'est-ce que tu en dis ? Serait-ce une sorte de message pour toi ?

— A moins que je ne l'y aie mis moi-même, pour semer le trouble. N'oublie pas que je suis le suspect numéro un.

Il rit de nouveau, et cette fois, Martin ne put se taire.

— Tu trouves vraiment ça drôle ? Ton cousin est mort, ton grand-père aussi, et toi, tu considères ce drame comme une sorte de divertissement.

— Je pleure dans mon cœur, dit Bernard en posant théâtralement ses mains sur sa poitrine.

Martin, qui ne supportait plus de le voir, descendit l'escalier sans l'attendre. Il croisa Börje.

— On dirait qu'il y a une accalmie, constata-t-il et Martin acquiesça.

— Oui, on s'en est rendu compte. On pourra peut-être bientôt partir.

— C'est vrai qu'on n'a jamais spécialement envie de voir nos hôtes vouloir nous quitter. Mais dans le cas présent, je le comprends. Je vous ai apporté du café, dit Börje en montrant la bibliothèque.

— Merci.

Martin entendit Bernard descendre l'escalier et se hâta vers la bibliothèque pour éviter d'autres commentaires idiots.

— Qu'êtes-vous allés faire ? demanda Harald qui avait retrouvé une partie de son incontestable autorité.

— Vérifier quelque chose, c'est tout, répondit Martin en faisant un petit signe de la main.

En temps voulu, il les informerait tous, mais il voulait le faire à son propre rythme. Il s'approcha de la table où se trouvait la cafetière et se servit une tasse avant de s'asseoir sur le canapé. Lisette avait quitté la place aux pieds de sa mère et était maintenant assise à l'autre bout du canapé, comme absente, les yeux rivés sur le sol. Sa main reposait sur un coussin et Martin se pencha pour l'effleurer. Elle ne réagit pas, mais au moins elle ne le repoussa pas. Martin comprit qu'il avait grossièrement négligé ses devoirs de petit ami, ou plutôt d'ex-petit ami. Il aurait au moins pu essayer de la réconforter.

Il entendit que Bernard commençait à parler à son père du livre sur la table de chevet, et il se dépêcha de le devancer.

— Quelqu'un est apparemment entré dans la chambre de Bernard au cours de la journée. D'après lui en tout cas, ne put-il s'empêcher d'ajouter, et cette personne a pris son téléphone portable et a posé un livre sur sa table de nuit. Est-ce que l'un de vous en sait quelque chose ?

Martin parcourut la bibliothèque du regard et dut faire face à un mur de silence. Britten ne semblait pas avoir entendu la question. Bernard et Gustav se contentèrent de secouer la tête. Vivi et Miranda qui étaient assises sur le canapé en face de lui semblaient absentes. Miranda était blanche comme un linge, et Martin se rappela soudain l'étrange expression qu'elles avaient lorsqu'il les avait croisées dans l'escalier. Encore un élément à tirer au clair.

— C'était quoi comme livre ? demanda Lisette.

— Un truc de Sherlock Holmes. Un recueil de nouvelles, je crois.

Elle pouffa, un petit rire qui sonnait creux.

— C'est sûrement le bouquin de grand-père. Il était totalement obsédé par Sherlock Holmes.

— Lorsqu'il était plus jeune, il était président d'une association dédiée à Sherlock Holmes, compléta Harald. Et il a continué à en être membre pendant toutes ces années. J'ai toujours eu l'impression que cette association – et cette passion – offrait surtout un prétexte à une bande de vieux pour se retrouver une fois par mois et radoter en buvant du whisky.

— Non, c'était un intérêt sincère, glissa Britten d'une voix toujours aussi frêle. Il l'avait transmis à Matte et ils discutaient toujours de ces livres-là les vendredis quand ils se voyaient.

— Mais vous ne savez pas qui a pu poser le livre là, ni pourquoi ?

Martin n'obtint pas de réponse. Gustav s'éclaircit la gorge.

— Pas de trace du revolver ?

— Non, malheureusement.

Le silence s'installa de nouveau. Tous étaient réunis, et pour la première fois, Martin fut frappé par l'évidence de la situation. L'une de ces personnes était un assassin. Il n'y avait pas d'autres possibilités. Les corps de deux hommes gisaient dans la chambre froide. L'un avait été empoisonné, l'autre tué par balle, et quelqu'un avait commis ces meurtres. Il était forcément dans cette pièce. Cette pensée lui faisait froid dans le dos.

— Que va-t-il se passer quand nous serons sur le continent ?

Miranda avait formulé la question qui était probablement sur toutes les lèvres.

— Vous serez interrogés par mes collègues du commissariat et des techniciens feront les examens qui s'imposent ici, répondit Martin qui marqua une petite pause avant de poursuivre : Ruben et Matte seront transportés à l'unité médicolégale pour qu'on effectue une autopsie. J'ai bon espoir que nous tirions l'affaire au clair relativement vite.

Miranda hocha la tête. Ses yeux se posèrent sur chacun des membres de sa famille et elle sembla penser la même chose que Martin. C'était comme si elle les voyait pour la première fois. Puis elle observa sa mère et eut de nouveau une expression étrange. Le regard de Vivi se posa sur Martin et il y lut une sérénité qu'il n'avait pas remarquée auparavant. Elle n'avait plus l'air nerveuse et ce changement soudain attisa la curiosité de Martin. Il décida de l'interroger.

— Vivi… est-ce que je pourrais vous parler un peu ? Dans le bureau ?

Elle hocha la tête et se leva. Ils s'installèrent dans le petit cabinet de travail pour la seconde fois au cours de ce dramatique week-end. Vivi ne semblait plus être la même femme.

— J'ai l'impression qu'il s'est passé quelque chose, commença-t-il, puis après une seconde d'hésitation, il poursuivit : je n'arrive pas à mettre le doigt sur quoi que ce soit de concret, mais je sens que…

Martin cherchait toujours ses mots lorsque Vivi l'interrompit.

— Vous êtes plus perspicace que je ne l'aurais cru.

Le calme dont elle faisait preuve semblait lui procurer une toute nouvelle personnalité, et Martin se rendit compte qu'il l'aimait bien.

Quelle que fût la cause de ce changement, il lui était profitable.

— Si je vous dis qu'il s'agit d'une affaire de famille qui n'a rien à voir avec les meurtres, est-ce que cela vous suffit ?

Elle inclina la tête sur le côté et l'observa en attendant sa réponse.

— Non. En ce moment, je voudrais être le seul à déterminer ce qui concerne les meurtres ou non. Je vous saurais gré de me mettre au courant même si vous auriez préféré le garder pour vous.

— C'est bien ce que je pensais. Bon, de toute façon, la boîte de Pandore est déjà ouverte, alors je peux tout aussi bien informer la force publique.

Elle rit et Martin l'appréciait davantage à chaque minute qui passait. C'était comme si elle s'était réveillée. Vivi était désormais une femme forte et vivante qui s'était débarrassée de sa fragile carapace.

— Ce que vous avez vu entre Miranda et moi était le contrecoup de la révélation que je lui ai faite. Je l'ai informée qu'elle n'est pas la fille de Gustav, mais celle de Harald.

Martin en fut bouche bée. Il ne s'attendait à rien de tel et laissa Vivi poursuivre son explication.

— J'ai eu une brève aventure avec Harald et je suis tombée enceinte. De Miranda.

— Et Bernard ? demanda Martin, passablement ébranlé.

— Non, Bernard est de Gustav, aucun doute là-dessus, c'est son père tout craché. Alors que Miranda a toujours eu quelque chose qui rappelait Matte, dit Vivi, et pour la première fois depuis qu'elle s'était mise à parler, sa voix trembla. C'est pour ça que je... Eh bien, je trouvais qu'elle était en droit de savoir que c'est son frère qui est mort et non son cousin.

— Et Gustav ? Il le sait ?

Martin n'était toujours pas sûr de vouloir croire ce qu'il venait d'apprendre. Tout cela semblait tiré d'un sitcom de bas étage.

— Gustav... non, il ne pourrait jamais imaginer que j'aie le courage d'agir dans son dos. Je n'ai jamais compté pour lui. En quoi que ce soit. Je pense qu'il serait surtout étonné et fou furieux contre Harald, évidemment.

— Mais Harald est au courant ?

— Oui, il était présent au moment de la conception si je puis dire, dit Vivi avec un petit rire. Mais je crois qu'il n'en a jamais été vraiment sûr. Cela dit, il a toujours su que c'était possible.

— Vous avez dû avoir très peur qu'on l'apprenne.

La voix de Martin était pleine de sympathie et le visage de Vivi s'adoucit. Elle hocha la tête.

— Oui, j'ai eu ma part de nuits blanches. Mais surtout... Je m'inquiétais pour l'héritage...

— L'héritage ? L'argent ? demanda Martin perplexe. Vous voulez dire que Ruben n'aurait pas apprécié s'il…

Vivi secoua énergiquement la tête.

— Non, pas cet héritage-là. Je parle de l'héritage génétique. En pensant à tout ce que Matte a traversé au fil des ans… toutes ces dépressions. J'ai eu peur que Miranda soit frappée du même mal.

— Mais elle n'a rien eu ?

— Non, Dieu soit loué. Seul ce pauvre Matte en a souffert.

— Ces dépressions, quelle était leur réelle gravité, au fait ? Personne ne veut vraiment m'en parler.

— Ça ne m'étonne pas ! Ça n'a pas été facile pour lui, pauvre garçon. Britten a tout essayé, mais les hommes de la famille ont toujours préféré tout minimiser. Même Ruben, qui tenait tant à Matte, ne voulait pas voir la gravité de ses troubles. Il aurait eu besoin d'aide médicale bien plus tôt, et d'une aide bien plus importante qu'elle n'a été. Même quand il…

Un grondement lointain se fit entendre et elle regarda par la fenêtre.

— On dirait que le brise-glace est en chemin, constata Martin avant d'encourager Vivi à reprendre le fil de ses pensées. Vous disiez "même quand il"…

— Oui. Je veux dire, il a essayé de se suicider à plusieurs reprises et même ça ne semble pas les avoir alertés sur son état. Il a fait un bref séjour à l'hôpital pour "se reposer", mais il n'a jamais été question de véritable traitement. Je crois même avoir entendu Harald dire qu'il "espérait que son fils en aurait bientôt terminé avec ces bêtises", dit-elle d'une voix indignée.

Un coup frappé à la porte les interrompit. C'était Börje.

— Le brise-glace arrive. Ce serait bien de faire vos valises et de descendre au ponton assez rapidement.

— Je pense que nous avons terminé, dit Martin en regardant Vivi, qui hocha la tête et se leva.

— Je vais préparer mes affaires. Je dois dire que ce sera un vrai bonheur de partir d'ici.

Martin la laissa sortir en premier de la pièce, puis monta dans la chambre qu'il partageait avec Lisette. Elle était déjà en train de boucler ses bagages. Ses yeux étaient cernés de rouge.

— Comment ça va ? demanda-t-il en la prenant dans ses bras. Pendant un instant, elle se détendit et se serra contre lui. Puis elle le repoussa doucement en disant : Je suppose que c'est un au revoir. Pas vrai ?

Elle le regardait droit dans les yeux et Martin ne put que répondre :

— Oui, j'imagine. Je crois que tu as raison.

Elle prit son visage entre ses mains et l'embrassa sur la joue.

— Pardon si j'ai été bête.

— Bah, les circonstances ont été… disons stressantes. On s'en est tous rendu compte, d'une façon ou d'une autre.

— Tu es quelqu'un de bien, Martin.

Elle lui fit encore une bise, puis elle prit sa valise et sortit de la chambre sans se retourner. Martin demeura un long moment immobile. Il ressentait surtout du soulagement, mais aussi une petite pointe de tristesse. Il venait de nouveau de voir une relation tomber à l'eau et commençait à en avoir assez. N'y avait-il donc personne pour lui en ce monde ?

Avec un soupir, il fourra ses affaires dans son sac et le hissa sur son épaule. Il avait glissé le portable de Bernard et le livre de Sherlock Holmes dans deux sacs en papier qu'il avait roulés dans un pull et posés sur le dessus. Le verre qui avait contenu du poison était bien à l'abri au milieu du sac. Il n'aurait pas été prudent de le laisser ici.

Avant de suivre les autres, il retourna dans la chambre de Matte. Il observa la pièce depuis la porte comme pour la supplier de lui révéler ce qui s'y était déroulé. La marque sur le manteau de la cheminée le narguait toujours. Il ne parvenait absolument pas à savoir pourquoi elle lui semblait si importante.

Dix minutes plus tard, tous pataugeaient dans la neige en direction de l'appontement et le poids de leurs bagages ne facilitait pas leur progression. Börje était parti avant les autres et avait réussi à démarrer le moteur du bateau sans problème. Ils seraient bientôt sur le continent. Après une brève concertation, ils s'étaient mis d'accord pour descendre tous les bagages au ponton, les hommes remonteraient ensuite chercher les corps dans la chambre froide. C'était une tâche dont personne ne se réjouissait, et Martin avait conscience que d'un point de vue professionnel, il aurait dû ordonner qu'ils y restent. Le regard de Britten lorsqu'elle avait demandé s'ils emporteraient Matte l'avait déterminé. Qu'il en soit ainsi.

Alors qu'il remontait vers la maison, les pensées se bousculaient dans sa tête. Le pistolet, le livre, les entretiens qu'il avait eus avec les membres de la famille Liljecrona, et lors du dîner du premier soir, les sous-entendus et les piques qui avaient volé comme des flèches empoisonnées. Tout se confondait en un bourbier innommable dans son esprit. Matte et Ruben. Grand-père et petit-fils. Plus proches l'un de l'autre que d'aucun autre membre de la famille. Ils se voyaient tous les vendredis pour discuter et partager quelque chose de particulier. Un vieux, un jeune. L'un malade du corps et l'autre de l'âme. Leur intérêt pour Sherlock Holmes. Martin en avait seulement vu des adaptations à la télé et il avait du mal à comprendre qu'on puisse à ce point se prendre de passion pour… Il interrompit net sa réflexion. Quelque chose se mit en branle à la périphérie de sa conscience. Il s'arrêta si brusquement dans la neige profonde que Bernard lui rentra involontairement dedans.

— Putain, qu'est-ce que…

— Pardon, dit Martin d'un air absent avant de continuer son chemin.

Ils avaient presque rejoint le ponton lorsqu'il secoua la tête comme pour faire ressurgir l'idée qui l'avait effleuré. C'était un éclair qui avait fusé au moment où il pensait aux adaptations de Sherlock Holmes pour le cinéma… Oui ! C'était ça ! Il sentit la certitude et un sentiment de triomphe grandir en lui et il se précipita vers la maison.

— Merde, qu'est-ce qui se passe ? cria Bernard derrière lui.

Martin l'ignora. Il ne se donna pas la peine d'ôter ses chaussures pleines de neige, glissa et faillit tomber à la renverse. Au dernier moment, il put se retenir grâce à la rampe de l'escalier et rétablir son équilibre. Il monta les marches quatre à quatre et se rua dans le couloir en direction de la chambre de Matte. Derrière lui, les autres l'appelèrent, mais il était si absorbé par ce qu'il avait en tête qu'il le remarqua à peine. Il fallait qu'il ait raison ! Il savait qu'il avait raison. Cela expliquerait tout !

En ouvrant la porte de la chambre de Matte, il ralentit le pas. Son cœur s'était emballé, tant sous l'effet de la course dans l'escalier que sous celui de l'excitation quant à ce qu'il pensait avoir deviné. Il entra prudemment dans la pièce, contourna la flaque de sang et se dirigea droit sur la cheminée. Il observa l'entaille sur la bordure, tendit la main et la glissa à l'intérieur du conduit. Sa main ne rencontra que la pierre froide et un sentiment de doute s'immisça en lui. Pouvait-il se tromper ? Il continua à tâtonner sur la paroi et sentit soudain quelque chose de dur et de froid sous ses doigts. Une sensation de bien-être se répandit alors dans tout son corps. Il avait raison. Il entendit des voix derrière lui.

— Qu'est-ce que tu fous ?

Bernard apparut à la porte, déconcerté et les cheveux en bataille, ce qui ne lui ressemblait pas. Derrière lui, Harald et Gustav semblaient tout aussi perplexes.

Sans un mot, Martin saisit l'objet qu'il avait trouvé et tira dessus. Les hommes à la porte furent estomaqués en voyant ce qu'il tenait à la main.

— Le revolver ? dit Harald incrédule. Mais ? Où ? Comment est-ce qu'il a pu se retrouver là ?

Martin tira plus fort pour qu'ils le voient, toujours sans rien dire. Le pistolet était attaché à un ruban élastique.

— Je… je ne comprends pas…, bredouilla Gustav en fixant l'arme et l'élastique.

Ce n'était pas encore le bon moment pour leur faire part de ses conclusions, et Martin leur tourna le dos et continua son inspection dans la hotte de la cheminée. Une nouvelle expression de satisfaction parcourut son visage lorsque ses doigts sentirent un autre élément. C'était du plastique. Il tira dessus, entendit un petit bruissement, mais l'objet ne vint pas. Alors il essaya de le pousser vers le haut, et le sac se détacha. Il s'agissait d'un sac plastique de supermarché. Il était lourd et il le posa doucement à terre. Il contenait deux choses : une caméra vidéo et une enveloppe.

Les hommes de la famille Liljecrona étaient à présent entrés dans la chambre et formaient un cercle autour de lui, tous les trois totalement abasourdis.

— Une caméra ? A l'intérieur de la cheminée ? Pourquoi ? demanda Gustav.

— C'est ce qu'on va voir, répondit Martin en allumant l'appareil. La caméra se mit à bourdonner, et il appuya sur Rewind puis sur Play. L'écran devint noir et après quelques secondes, des voix familières se firent entendre. Celles de Matte et de Ruben. Ruben était assis dans son fauteuil roulant face à la caméra, Matte le filmait. Ruben s'éclaircissait la voix.

— Lorsque vous verrez ceci, je serai mort.

Harald en eut le souffle coupé. Gustav pâlit soudain tandis que Bernard avait presque l'air de s'amuser, comme s'il savait ce qui les attendait.

Ruben poursuivait :

— D'après les médecins, il me reste six mois à vivre. Je n'ai pas pour habitude d'abandonner, si bien que j'ai consulté tous les spécialistes possibles, mais leur pronostic est toujours le même. C'est fini. Et ce sera douloureux. Et indigne. Comme vous le savez, je peux vivre avec la douleur. Mais une fin indigne... Jamais. Alors j'ai décidé de prendre les choses en main. Et je ne résiste pas à l'opportunité de vous donner une petite leçon. Vous m'avez trahi, grossièrement, et vous n'avez pas été à la hauteur de mes attentes. Mais rassurez-vous, vous aurez mon argent. Tels que je vous connais, il ne vous apportera pas le bonheur, bien au contraire, il vous mènera à votre perte. Soit. Mais je n'ai pas l'intention de vous le donner sans vous faire souffrir un peu.

Ruben souriait et tendait la main vers quelque chose hors champ. Martin reconnut le lit à baldaquin à l'arrière-plan. C'était filmé dans la chambre de Ruben, ici sur l'île de Valö. Ruben tenait un sachet rempli de poudre à hauteur de son visage.

— Voici du cyanure de potassium. Il n'est pas très difficile de s'en procurer si on a de l'argent et des contacts. Je vais moi-même le verser dans mon verre au cours du dîner, et vous offrir un spectacle inoubliable, je l'espère. Je répète, je vais moi-même le verser dans mon verre. Matte n'aura rien à voir avec ma mort, autrement que comme soutien et observateur. Je veux aussi souligner qu'il a tout fait pour me dissuader. Puis, il a peu à peu compris que je suis totalement déterminé, et a fini par accéder à mon dernier souhait en acceptant de m'aider avec ce petit rappel à l'ordre. J'espère que pour quelque temps vous allez vivre dans les soupçons, la crainte et le désespoir d'être déshérités. Lors de la lecture de mon testament, il sera révélé que ce n'est pas le cas. Et Matte veillera à ce que cette vidéo soit projetée. L'énigme diabolique digne d'un polar dont vous avez été les acteurs involontaires – et innocents – trouvera son explication. Elémentaire, mon cher Watson, comme aurait dit mon ami Sherlock Holmes.

Ruben poussa un petit rire après son mot d'esprit. Il semblait satisfait du plan qu'il avait concocté pour son départ dans l'au-delà. Matte tenait la caméra en silence, mais sa forte respiration trahissait son état.

Ruben se tortillait dans son fauteuil et semblait se préparer pour une salve finale.

— Je vous souhaite à tous un Noël infernal et une nouvelle année véritablement calamiteuse. Que mon argent ne vous profite pas.

Il gloussait. L'image s'éteignit.

— Quel putain de… salaud, cracha Gustav.

Harald fixa l'écran éteint de la caméra d'un regard vide, comme s'il n'avait toujours pas compris ce qu'il venait d'entendre. Bernard se mit à rire. Un rire qui devint de plus en plus fort, jusqu'à ce que les larmes se mettent à ruisseler sur ses joues et qu'il soit obligé de se tenir les côtes. Il se tordait de rire et son père finit par lui donner un coup de coude.

— Arrête maintenant, Bernard, tu te ridiculises.

— Quel vieux filou, beugla Bernard qui semblait incapable de calmer son fou rire. Il nous a tous eus !

Les larmes continuaient à couler le long de ses joues et il s'essuya les yeux avec le dos de la main. Harald se laissa tomber sur le lit. Il n'esquissait pas le moindre sourire.

— Mais Matte… pourquoi ?

Martin lui tendit l'enveloppe blanche.

— Ceci donnera peut-être une explication.

Harald prit l'enveloppe, l'ouvrit et sortit la lettre d'une main tremblante. Ils le regardèrent lire en silence. Après un instant, il posa la feuille sur ses genoux et dit à voix basse :

— Il ne pouvait pas vivre avec ça, savoir qu'il avait aidé son grand-père à se donner la mort. Ruben l'a persuadé, il l'a supplié de l'aider à mettre en scène cette farce macabre. Matte a hésité, tout en espérant être assez fort. Mais il ne l'était pas. Il écrit qu'il ne supporte pas l'idée d'avoir aidé Ruben à mourir. Puis il te présente ses excuses, Bernard. C'est lui qui a mis le livre dans ta chambre et il a pris ton portable et l'a posé dans sa chambre pour diriger les soupçons sur toi. Mais il savait que tu serais innocenté dès qu'on aurait compris qu'il s'agissait d'un suicide. Il dit qu'en cela, il est bien le petit-fils de Ruben. Il ne pouvait pas laisser passer une telle occasion de se venger et voulait te rendre la pareille.

— Un suicide ?

Gustav semblait ne toujours pas très bien comprendre, et Martin lui expliqua.

— Je me suis subitement rappelé avoir vu cela dans un film de Sherlock Holmes. Matte a attaché le pistolet à un élastique et il a fixé l'autre bout à l'intérieur de la hotte. Puis il s'est tiré une balle dans le cœur. Dès que sa main a lâché l'arme, l'élastique l'a remontée dans le conduit de la cheminée, à l'abri des regards. Abracadabra – ni vu, ni connu ! Nous avons cru qu'il avait été assassiné. C'est le pistolet qui a fait cette marque sur le manteau de la cheminée en remontant avec l'élastique.

— Je n'aurais jamais cru qu'il puisse être aussi finaud, dit Bernard qui avait cessé de rire mais qui conservait tout de même un petit air amusé. Bon, maintenant qu'on a tiré tout ça au clair, je vous propose d'y aller, le bateau nous attend.

Même si Martin n'approuvait pas son ton insouciant, il savait que Bernard avait raison. Ils n'avaient plus rien à faire sur cette île.

Une demi-heure plus tard, le bateau quitta le ponton. C'était une soirée sans lune avec un ciel étoilé. Les projecteurs de la vedette éclairaient la neige épaisse sur la glace de part et d'autre du chenal ouvert par le brise-glace. Tous savaient désormais ce qui s'était déroulé pendant ces vingt-quatre heures à Valö. Il n'y avait plus rien à dire. Le silence s'était installé parmi les passagers. Martin tournait le dos à l'île qui s'éloignait lentement derrière eux. Devant lui, Fjällbacka scintillait dans l'obscurité. Deux corps recouverts d'une bâche étaient étendus dans la cabine du bateau.

Il restait cinq jours avant Noël.

BABEL NOIR

Extrait du catalogue

59. SÉBASTIEN LAPAQUE
Les Barricades mystérieuses

60. LOTTE ET SØREN HAMMER
Morte la bête

61. CAMILLA LÄCKBERG
La Princesse des glaces

62. MORLEY TORGOV
Meurtre en *la* majeur

63. KYLIE FITZPATRICK
La Neuvième Pierre

64. LOUISE PENNY
Nature morte

65. SEICHÔ MATSUMOTO
Un endroit discret

66. NELE NEUHAUS
Flétrissure

67. JÓN HALLUR STEFÁNSSON
L'Incendiaire

68. JAN COSTIN WAGNER
Lune de glace

69. HERVÉ CLAUDE
Les ours s'embrassent pour mourir

70. KEIGO HIGASHINO
Le Dévouement du suspect X

COÉDITION ACTES SUD – LEMÉAC

Ouvrage réalisé
par l'Atelier graphique Actes Sud.
Achevé d'imprimer
en décembre 2012
par Normandie Roto Impression s.a.s.
61250 Lonrai
sur papier fabriqué à partir de bois provenant
de forêts gérées durablement (www.fsc.org)
pour le compte
des éditions Actes Sud
Le Méjan
Place Nina-Berberova
13200 Arles.

Dépôt légal
1re édition : octobre 2012
N° d'impression : 12-4731
(Imprimé en France)